© Holland

lannoo

© Tekst en fotografie:
Tom Prosé

Vormgeving:
VarwigDesign,
Erik de Bruin,
Christine Bruggink,
Hengelo

Druk- en bindwerk:
Drukkerij Tesink,
Zutphen

ISBN 90 6255 992 1
NUR 653

Uitgeverij Terra bv
Postbus 1080
7230 AB Warnsveld,
Nederland
terra@terraboek.nl
www.terraboek.nl
Uitgeverij Terra maakt
deel uit van de
Lannoo-groep

Uitgeverij Lannoo nv
Kasteelstraat 97
8700 Tielt, België
lannoo@lannoo.be
www.lannoo.com

© Holland

Tom Prosé

TERRA | lannoo

Voorwoord

Dit handzame fotoboek met zijn meer dan 200 foto's laat Nederland van zijn mooiste en kleurigste kant zien. Interessante natuurgebieden, historische steden en vaak dromerige dorpjes vormen het fraaie landschap.
Dat Nederland niet alléén uit water, wind en wolken bestaat, tonen de foto's in dit boek. Duidelijk wordt dat iedere streek haar eigen boeiende schoonheid heeft.
Kleuren zijn een belangrijk aspect van het landschap, ze bepalen vaak de sfeer in landschapsfoto's. De foto's van steden en dorpen brengen u in contact met de rijke geschiedenis van Nederland.
Anders dan de meeste fotoboeken is © *Holland* thematisch ingedeeld. Naast de thema's 'Historische gebouwen, kerken, kastelen', 'Boerderijen', 'Molens' en 'Dorps-en stadsgezichten' komt de natuur aan bod in 'Landschappen' en 'Water'.
Dit boek nodigt u uit om er zelf op uit te trekken. De kaarten achterin dit boek laten zien dat het niet nodig is om ver van huis te gaan. Per provincie staan enkele grote plaatsen ter oriëntatie aangegeven. De nummers in deze kaart verwijzen naar plaatsnamen of naar natuurgebieden, rivieren e.d., die vermeld staan in de foto-bijschriften.
Voor u ligt een fotoboek, handzaam en kleurig, om regelmatig in te zien. Ik wens u veel kijkplezier en hoop dat u op uw tochten zult genieten van alles dat Nederland te bieden heeft.

Tom Prosé

Preface

This book with more than 200 photos gives a beautiful and colourful portrait of the Netherlands. Fascinating nature reserves, historical cities and sleepy villages all form an enchanting landscape. The photos in this book show that there is more to the Netherlands than just water, wind and clouds. You will find that each region has its own particular attractions. Colours play an important part in the Dutch landscape. Often they determine the mood in landscape photography. The photos of towns and villages give an insight into the rich past of the Netherlands.
Unlike most books of photographs © *Holland* is arranged by subject. Thus you will get to know something about 'Historical buildings, churches and castles', 'Farms', 'Windmills', and 'Towns and villages'. Those interested in the Dutch countryside will be fascinated by the subjects 'Landscapes' and 'Water'.
This book invites you to go and see for yourself what Holland has to offer. At the back of the book you will find practical maps. In order to help you get your bearings the major places of each province are given. The numbers in the maps refer to names of cities, villages, regions, rivers etc., mentioned in the captions.
I hope that you will enjoy reading it and that you will be intrigued by all the photographs and I also hope that when you explore the country you will enjoy all the beautiful things that Holland has to offer.

Tom Prosé

Vorwort

Dieses handliche Fotobuch mit über 200 Fotos zeigt die Niederlande von ihrer schönsten und farbigsten Seite. Interessante Naturgebiete, historische Städte und oft träumerische Dörfchen bilden die hübsche Landschaft.
Das die Niederlande nicht nur aus Wasser, Wind und Wolken besteht, zeigen die Fotos in diesem Buch. Deutlich wird, dass jede Gegend ihre eigene fesselnde Schönheit hat. Farben sind ein wichtiger Aspekt der Landschaft, sie bestimmen oft die Atmosphäre in Landschaftsfotos. Die Fotos von Städten und Dörfern bringen Sie mit der reichen Geschichte der Niederlande in Kontakt.
Anders als die meisten Fotobücher ist © *Holland* thematisch eingeteilt. Außer den Themen 'Historische Gebäude, Kirchen, Schlösser', 'Bauernhöfe', 'Mühlen' und 'Dorf- und Stadtansichten' kommt die Natur in 'Landschaften' und 'Wasser' an die Reihe.
Dieses Buch lädt Sie ein, selbst loszuziehen. Hinten in diesem Buch sind praktische Karten augenommen. Pro Provinz werden einige größere Orte zur Orientierung angegeben. Die Nummern auf dieser Karte verweisen auf Ortsnamen oder auf Naturgebiete, Flüsse usw., erwähnt in den Unterschriften.
Vor Ihnen liegt ein Fotobuch, handlich und farbig, zum regelmäßigen Einsehen. Ich wünsche Ihnen viel Vergnügen beim Anschauen und hoffe, dass Sie auf Ihren Touren alles, was die Niederlande zu bieten hat, genießen werden.

Tom Prosé

Préface

Ce livre de photos pratique, avec plus de 200 photos vous montre les Pays-Bas de son aspect le plus beau et le plus coloré. Le paysage magnifique consiste en r éserves naturelles intéressantes, villes historiques et villages souvent idylliques. Les photos de ce livre montrent que Les Pays-Bas ne consistent pas du tout seulement en eau, vent et nuages. Il se révèle que chaque région a sa propre beauté fascinante.
Les couleurs sont un aspect important dans les photos du paysage: souvent elles déterminent leur atmosphère. Les photos des villes et des villages vous mettent en contact avec l'histoire abondante des Pays-Bas.
Contrairement à la plupart des livres de photos © *Holland* a un classement thématique. À côté des thèmes 'Edifices historiques, églises et châteaux', 'Fermes', 'Moulins', 'Vues de villes et de villages', la nature a son tour dans les thèmes 'Paysages' et 'Eaux'.
Ce livre vous invite à allez faire un tour vous-même. À la fin du livre sont placé des cartes géographiques. Pour chaque province quelques grandes villes sont marquées comme points de répère. Les numéros dans cette carte révèrent aux noms de lieu ou aux régions naturelles, rivières etc,. cités dans les légendes.
Je vous souhaite beaucoup de plaisir en regardant les
photos et j'espère que lors de vos excursions vous prenez beaucoup de plaisir à tout ce que les Pays-Bas ont à offrir.

Tom Prosé

Inhaltsverzeichnis

Index

Historische gebouwen

GETUIGENISSEN VAN STEEN
Nederland is rijkelijk bedeeld met culturele bezienswaardigheden, die door hun verscheidenheid de aandacht trekken van talloze toeristen uit binnen- en buitenland. Zelfs dicht bij huis is er veel moois en bijzonders te zien. Iedere streek heeft wel een toeristische route waarin een aantal historische gebouwen is opgenomen die hetzij door hun fraaie architectuur, hetzij door hun soms tumultueuze verleden een zodanig waardevol karakter hebben dat ze voor de toekomst beschermd en bewaard dienen te blijven. Hoewel gedurende de 19e eeuw veel historische gebouwen zijn afgebroken kunnen wij nu nog veelvuldig kennis nemen van interessante kastelen, ruïnes, stadspoorten en kerken. Kastelen en ruïnes getuigen door hun ouderdom van een glorierijk verleden, laten u dromen van vervlogen tijden. Stadsmuren en -poorten werden door mensen gebouwd om hun steden te beschermen, ze hebben nu nog slechts een historische functie. In vele monumentale kerken worden eeuwenoude tradities weerspiegeld en zijn unieke kunstschatten te bewonderen.
Aan de hand van een reeks foto's met korte teksten wordt een beeld gegeven van een aantal historische gebouwen: geen saaie opsomming van feiten maar een excursie langs boeiende en waardevolle plaatsen die ieder op hun eigen wijze bijdragen tot de schoonheid van Nederland.

Historical buildings

GRANDEUR IN STONE
The rich heritage of Dutch culture is reflected in many cultural sights. They are so varied that they draw tourists, both from the Netherlands and from abroad. When you are in the Netherlands you don't have to travel very far in order to see something special. Every region has at least one scenic route that will take you past historical buildings of which the architecture is so stunning and the past has been so tumultuous that they deserve to be well protected and maintained. Although in the 19th century many historical buildings were sadly demolished there are still lots of interesting castles, ruins, town walls and churches to be visited. Castles and ruins bear witness to a glorious past and make you dream of times long gone by. Town walls and gates that were once built to protect the citizens, have lost this function and they now proudly stand as historical monuments. Many monumental churches breathe the atmosphere of age-old traditions and numerous unrivalled art treasures can still be admired in these wonderful buildings. A series of photographs together with short captions will give you an impression of the rich architectural heritage of the Netherlands. It's not a dull list of facts, but rather an excursion that takes you to interesting and valuable places that contribute to the beauty of the Netherlands.

Historische Gebäude

ZEUGNISSE AUS STEIN

Die Niederlande sind reichlich mit kulturellen Sehenswürdigkeiten gesegnet, die wegen ihrer Verschiedenheit die Aufmerksamkeit vieler Touristen aus Inn- und Ausland auf sich lenken. Jede Gegend hat so eine touristische Route, in der einige historische Gebäude aufgenommen wurden, die entweder wegen ihrer hübschen Architektur oder wegen ihrer manchmal tumultuösen Vergangenheit einen solch wertvollen Charakter haben, dass sie für die Zukunft geschützt und erhalten bleiben sollten. Obwohl während des 19. Jahrhunderts viele historische Gebäude abgerissen wurden, können wir heute noch oftmals Kenntnis von interessanten Schlössern, Ruinen, Stadttoren und Kirchen nehmen. Schlösser und Ruinen zeugen wegen ihres Alters einer ruhmreichen Vergangenheit, lassen Sie von verflossenen Zeiten träumen. Stadtmauern und -tore wurden von Menschen gebaut, um ihre Städte zu schützen, heutzutage haben sie nur noch eine historische Funktion. In vielen monumentalen Kirchen spiegeln sich jahrhundertealte Traditionen und kann man einzigartige Kunstschätze bewundern.
Anhand einer Reihe von Bildern mit kurzen Texten wird ein Bild einiger historischer Gebäude vermittelt: Keine langweilige Aufzählung von Tatsachen, sondern ein Ausflug entlang spannenden und wertvollen Orten, die jeweils in seiner eigenen Art und Weise zur Schönheit der Niederlande beitragen.

Les édifices historiques

TÉMOIGNAGES EN PIERRE

Les Pays-Bas sont riches en curiosités culturelles, qui, grâce à leur diversité, attirent l'attention de nombreux touristes néerlandais et de l'étranger. On trouve partout de très belles choses spéciales. Chaque région a sa route touristique comprenante quelques édifices historiques qui, soit par leur belle architecture, soit par leur passé parfois tumultueux, sont tellement précieux qu'ils méritent être protégés et conservés pour l'avenir. Malgré le fait que beaucoup d'édifices historiques ont été détruits au cours du 19e siècle, il est encore possible de prendre connaissance de châteaux, de ruïnes, de portes de ville et d'églises intéressantes. Par leur ancienneté les châteaux et les ruïnes témoignent d'un passé glorieux et font rêver de temps passés. Les remparts et les portes de ville, bâtis pour la protection des villes n'ont plus qu'une fonction historique. Bien des églises monumentales reflètent les traditions séculaires et on peut y admirer des oeuvres d'art extraordinaires.
À l'aide d'une série de photo's accompagnées de textes concis on peut se faire une image de quelques édifices historiques. On ne présente pas une énumération ennuyeuse de faits, mais une excursion le long des endroits passionnants et précieux qui, chacun à sa propre façon, contribue à la beauté des Pays-Bas.

De prachtig gelegen 15e-eeuwse Menkemaborg in Uithuizen.

The beautifully situated 15th-century stronghold Menkemaborg in Uithuizen.

Die wunderschön gelegene Menkema-borg in Uithuizen aus dem 15. Jahrhundert.

Le Menkemaborg, château du 15e siècle à Uithuizen, situé superbement.

Het kerkje in Breede.

Small church in Breede.

Die kleine Kirche in Breede.

La petite église de Breede.

De 13e-eeuwse kerk van Bierum met opvallende steunbeer.

The 13th-century church of Bierum with its striking buttress.

Die Kirche von Bierum aus dem 13. Jahrhundert mit auffälligem Strebepfeiler.

L'église du 13e siècle de Bierum avec contrefort surprenant.

Het Korendragershuisje van Franeker dateert van 1634.

The Korendragershuisje (building in which grain was stored) in Franeker goes back to 1634.

Das Korendragershuisje (Haus eines Getreideträgers) von Franeker datiert aus 1634.

Le Korendragershuisje (la maison de celui qui porte le blé) de Franeker date de 1634.

Het prachtige kasteel
Twickel bij Delden.

The beautiful Castle
Twickel near Delden.

Das wunderschöne
Schloss Twickel bei
Delden.

Le château magnifique
de Twickel à Delden.

Het plein van de gotische
St.-Lebuïnuskerk
(15e eeuw) in Deventer.

The square of the Gothic
St.-Lebuïnuskerk
(church,15th century) in
Deventer.

Der Innenhof der goti-
schen St.-Lebuïnuskerk
(Kirche, 15. Jahrhundert)
in Deventer.

La place du St.-
Lebuïnuskerk, église
gothique du 15e siècle à
Deventer.

Het mysterieuze 13e-eeuwse kasteel Waardenburg bij Neerijnen.

The mysterious 13th-century Castle Waardenburg near Neerijnen.

Das mysteriöse Schloss Waardenburg bei Neerijnen aus dem 13. Jahrhundert.

Le château mystérieux de Waardenburg du 13e siècle près de Neerijnen.

Het jachtslot St. Hubertus op de Hoge Veluwe.

The hunting lodge St. Hubertus in the National Park the Hoge Veluwe.

Das Jagdschloss St. Hubertus im Nationalpark Hoge Veluwe.

Le château de chasse de St.-Hubert dans le Parc National de Hoge Veluwe.

Het L-vormige kasteel Vorden uit de 16e eeuw, nabij Vorden.

The L-shaped Castle Vorden from the 16th century, near Vorden.

Das L-förmige Schloss Vorden aus dem 16. Jahrhundert, in der nähe von Vorden.

Le château de Vorden en forme de 'L' du 16e siècle, près de Vorden.

Het 16e-eeuwse sierlijke stadhuis van Culemborg, gebouwd in laatgotische stijl.

The elegant 16th-century town hall of Culemborg, built in late Gothic style.

Das zierliche Rathaus von Culemborg aus dem 16. Jahrhundert, gebaut in spätgotischem Stil.

L'élégant Hôtel de Ville de Culemborg du 16e siècle, bâti dans un style gothique.

Nijmegen: kerktoren en gevels aan de Grote Markt.

Nijmegen: church tower and gabled houses on the Grote Markt.

Nimwegen: Kirchenturm und Giebel am Grote Markt.

Nijmegen: tour d'église et façades au Grote Markt.

Zicht op de St.-Walburgskerk en de oude stadsmuur van Zutphen.

View of the St.-Walburgskerk (church) and the old city wall of Zutphen.

Sicht auf die St.-Walburgskerk (Kirche) und die alte Stadtmauer von Zutphen.

Vue sur le St.-Walburgskerk (église) et les remparts de Zutphen.

Het imposante kasteel De Haar bij Haarzuilens werd pas in de 19e eeuw gebouwd.

It was not until the 19th century that the impressive Castle De Haar near Haarzuilens was built.

Das imposante Schloss De Haar bei Haarzuilens wurde erst im 19. Jahrhundert gebaut.

Le château imposant de De Haar près de Haarzuilens ne fut bâti qu'au 19e siècle.

Vooral in de herfst ziet slot Zuylen bij Oud-Zuilen er kleurig uit.

Especially in autumn Castle Zuiyen near Oud-Zuilen presents a very colourful picture.

Vor allem im Herbst ist Schloss Zuylen bei Oud-Zuilen farbenreich.

Surtout en automne le château fort de Zuylen près de Oud-Zuilen est plein de couleurs.

Amersfoort: de Monnickendam is een 15e-eeuwse waterpoort in de dubbele vestinggordel.

Amersfoort: the Monnickendam is a 15th-century water gate in the city's double ramparts.

Amersfoort: der Monnickendam ist ein Wassertor aus dem 15. Jahrhundert im doppelten Festungskranz.

Amersfoort: le Monnickendam, une porte d'eau du 15e siecle dans les remparts doubles.

De monumentale Koppelpoort van Amersfoort is een land- en waterpoort uit de 14e eeuw.

The monumental Koppelpoort of Amersfoort is both a land gate and a water gate from the 14th century.

Das monumentale Koppelpoort von Amersfoort ist ein Land- und Wassertor aus dem 14. Jahrhundert.

La Koppelpoort monumentale à Amersfoort, porte de ville et porte d'eau du 14e siècle.

De Tinnenburgh aan de straat Muurhuizen is een van de oudste en mooiste gebouwen van Amersfoort.

The Tinnenburgh on Muurhuizen Street is one of the oldest and most beautiful buildings in Amersfoort.

Die Tinnenburgh an der Muurhuizen Strasse ist eines der ältesten und schönsten Gebäude von Amersfoort.

Le Tinnenburg dans la rue Muurhuizen est un des plus anciens et plus beaux édifices d'Amersfoort.

De 15e-eeuwse Onze-Lieve-Vrouwetoren in Amersfoort is een van de mooiste gotische torens van Nederland, met een deel van de achterzijde van de muurhuizen aan de Zuidsingel.

The 15th-century Onze Lieve Vrouwetoren in Amersfoort, is one of the most beautiful Gothic towers in the Netherlands, with part of the backside of the 'muurhuizen' (houses built against the wall) on the Zuidsingel.

Der Onze-Lieve-Vrouwetoren in Amersfoort aus dem 15. Jahrhundert ist einer der schönsten gotischen Türme der Niederlande, mit einem Teil der Hinterseite der 'muurhuizen' (Mauerhäuser) an der Zuidsingel.

La Onze-Lieve-Vrouwentoren du 15e siècle à Amersfoort est une des plus belles tours gothiques des Pays-Bas, avec une partie du derrière des 'muurhuizen' (maisons bâties contre le mur) au Zuidsingel.

De laatgotische St.-Cunerakerk (15e eeuw) torent hoog boven Rhenen uit.

The late Gothic Cunerakerk (church, 15th century) dominating the village of Rhenen.

Die spätgotische St.-Cunerakerk (Kirche, 15. Jahrhundert) ragt hoch über Rhenen hinaus.

L'église de St.-Cunera (15e siècle) domine Rhenen.

De 12e-eeuwse kloostergang van de kerk van St. Marie aan de Mariaplaats in Utrecht.

The 12th-century cloister of St. Marie on the Mariaplaats in Utrecht.

Der Klostergang aus dem 12. Jahrhundert der Kirche von St. Marie am Mariaplaats in Utrecht.

Le cloître du 12e siècle de l'église de St. Marie à la Mariaplaats à Utrecht.

Utrecht: de Domtoren en gevels aan de Oude Gracht.

Utrecht: Domtoren and gables on the Oude Gracht.

Utrecht: der Domtoren (Turm) und Giebel an der Oude Gracht.

Utrecht: Domtoren et façades à l'Oude Gracht.

De Trompenburgh in 's-Graveland werd gebouwd in de 17e eeuw als woonplaats van Admiraal Tromp.

The Trompenburgh in 's-Graveland was built in the 17th century as Admiral Tromp's private residence.

Die Trompenburgh in 's-Graveland wurde im 17. Jahrhundert als Wohnsitz für Admiral Tromp gebaut.

Le Trompenburgh à 's-Graveland a été bâti au 17e siècle comme domicile de l'amiral Tromp.

De waag en oude gevels in Alkmaar.

Waag (weighhouse) and old gables in Alkmaar.

Die Stadtwaage und alte Giebel in Alkmaar.

Waag (poids public) et vieilles façades à Alkmaar.

Het Muiderslot (1280) in Muiden was het kasteel van Graaf Floris V.

The Muiderslot (1280) near Muiden was the castle of Count Floris V.

Das Muiderslot (1280) in Muiden war das Schloss von Graf Floris V.

Le Muiderslot (1280) à Muiden était le château du comte Floris V.

Toren en waag van de voormalige vissersplaats Monnickendam.

Tower and Waag (weigh-house) of Monnickendam, a former fishing village.

Turm und Waage des ehemaligen Fischerortes Monnickendam.

Tour et Waag (poids public) de l'ancien port de pêche de Monnickendam.

De Dromedaris (1540), een oude stadspoort in het haventje van Enkhuizen.

The Dromedaris (1540), an old town gate on the harbour of Enkhuizen.

Das Dromedaris (1540), ein altes Stadttor im kleinen Hafen von Enkhuizen.

Le Dromedaris (1540), une vieille porte de ville dans le petit port d'Enkhuizen.

terdam

De Statenpoort is het voormalige stadhuis van Hoorn en heeft een mooi versierde trapgevel.

Das Statenpoort ist das ehemalige Rathaus von Hoorn und hat einen schön geschmückten

Amsterdam

Het Paleis op de Dam en de Nieuwe Kerk (15e eeuw).

Paleis (Palace)on the

Der Paleis (Palast) op de Dam und die Nieuwe Kerk (Neue Kirche, 15. Jahrhundert).

De Oude Kerk op het Oudekerksplein.

Oude Kerk (Old Church) on the Oudekerksplein.

Die Oude Kerk (Alte Kirche) auf dem Oudekerksplein.

Le Oude Kerk (Vieille Église) à l'Oudekerksplein.

Het Centraal Station met het Noord-Hollands Café.

Centraal Station with the Noord-Hollands Café.

Der Centraal Station (Hauptbahnhof) mit dem Noord-Hollands Café.

Centraal Station (Gare

Amsterdam

De Schreierstoren en de St.-Nicolaaskerk.

Schreierstoren (tower) and St.-Nicolaaskerk (church).

Der Schreierstoren (Turm) und die St.-Nicolaaskerk (Kirche).

La Schreierstoren (tour) et la St.-Nicolaaskerk (église).

Amsterdam

Oude Schans en Montalbaenstoren.

Oude Schans and Montalbaenstoren (tower).

Oude Schans und Montalbaenstoren (Turm).

Oude Schans et Montalbaenstoren (tour).

Amsterdam

De Nieuwmarkt met waag.

Der Nieuwmarkt mit Waage.

Nieuwmarkt with Waag (Weighhouse).

Le Nieuwmarkt avec Waag (poids public).

Amsterdam

De Zuiderkerktoren en Raamgracht.

Der Turm der Zuiderkerk (Kirche) und Raamgracht.

Tower of the Zuiderkerk (church) and Raamgracht.

La tour du Zuiderkerk et le Raamgracht.

Amsterdam

Het Rijksmuseum.

Rijksmuseum.

Das Rijksmuseum.

Le Rijksmuseum.

In het Vredespaleis in Den Haag is het Internationaal Hof van Justitie van de Verenigde Naties gevestigd.

The Vredespaleis (Peace Palace) in The Hague houses the International Court of Justice of the United Nations.

Im Vredespaleis (Friedenspalast) in Den Haag befindet sich der internationale Gerichtshof der Vereinten Nationen.

Le Vredespaleis (Palais de la Paix) à Den Haag abrite La Cour Internationale de la Justice des Nations Unies.

Het Mauritshuis in Den Haag wordt gebruikt als schilderijenmuseum. Daarnaast "het torentje" van de Parlementsgebouwen.

The Mauritshuis in The Hague is a famous gallery. Next to it the small tower of the parliament buildings.

Das Mauritshuis in Den Haag wird als Gemäldemuseum benutzt. Daneben ‚Het Torentje' (der kleine Turm) der Parlamentsgebäude.

La Mauritshuis à Den Haag abrite un musée de peinture. A côté: "het torentje" (la petite tour) des batiments du Parlement.

Pakhuizen aan de Veerstal
in Gouda.

Warehouses on Veerstal
in Gouda.

Lagerhäuser am Veerstal
in Gouda.

Des entrepots au Veerstal
à Gouda.

Het oudste gotische stad-
huis van Nederland staat
in Gouda en werd
gebouwd in 1450.

Gouda claims the oldest
Gothic town hall in the
Netherlands. It was built
in 1450.

Das älteste gotische
Rathaus der Niederlande
steht in Gouda und wurde
1450 errichtet.

Le plus vieil Hôtel de Ville
gothique des Pays-Bas se
trouve à Gouda, il a été
bâti en 1450.

Het klokkenspel aan de zijkant van het stadhuis in Gouda.

The carillon on the sidewall of Gouda's town hall.

Das Glockenspiel an der Seite des Rathauses in Gouda.

Le carillon à côté de l'Hôtel de Ville à Gouda.

De binnenplaats van het stedelijk museum 'Het Catharina Gasthuis' in Gouda.

The courtyard of the municipal museum 'Het Catharina Gasthuis' in Gouda.

Der Innenhof des Stadtmuseums 'Het Catharina Gasthuis' in Gouda.

La cour du musée municipal 'Het Catharina Gasthuis' à Gouda.

Het lieflijke slot Moermond in Renesse.

The charming Castle Moermond in Renesse.

Das liebliche Schloss Moermond in Renesse.

Le château charmant de Moermond à Renesse.

Het 13e-eeuwse kasteel Haamstede in Burgh-Haamstede.

The 13th-century Castle Haamstede in Burgh-Haamstede.

Schloss Haamstede aus dem 13. Jahrhundert in Burgh-Haamstede.

Le château de Haamstede du 13e siècle à

Torentje van stadhuis Zierikzee.

Short tower of the town hall of Zierikzee.

Das Türmchen des Rathauses von Zierikzee.

La petite tour de l'Hôtel de Ville de Zierikzee.

De havenpoort met twee ophaalbruggen getuigt nog van het handelsverleden van Zierikzee.

The harbour gate and two drawbridges still bear witness to Zierikzee's rich past as trading town.

Das Hafentor mit zwei Zugbrücken zeugt noch von der Handelsvergangenheit von Zierikzee.

La porte du port avec les deux ponts-levis témoigne du passé commercial de Zierikzee.

De gevel van het 15e-eeuwse gotische stadhuis van Middelburg.

Facade of the 15th-century gothic town hall of Middelburg.

Der Giebel des gotischen Rathauses von Middelburg aus dem 15. Jahrhundert.

La façade de l'Hôtel de Ville gothique du 15e siècle de Middelburg.

Het 15e-eeuwse stadhuis van Veere.

The 15th-century town hall of Veere.

Das Rathaus von Veere aus dem 15. Jahrhundert.

L'Hôtel de Ville du 15e siècle de Veere.

Toren van de 15e-eeuwse St.-Geertruidskerk van Geertruidenberg.

Tower of the 15th-century Geertruidskerk (church) of Geertruidenberg.

Turm der St.-Geertruidskerk (Kirche) aus dem 15. Jahrhundert von Geertruidenberg.

La tour du St.-Geertruidskerk, l'église du 15e siècle de Geertruidenberg.

De enorme kruisbasiliek uit de 15e eeuw in Veere.

The enormous 15th-century basilica of Veere.

Die enorme Kreuzbasilika aus dem 15. Jahrhundert in Veere.

La basilique imposante du 15e siècle à Veere.

De waterpoort van het oude vestingstadje Woudrichem.

Watergate of the old fortified town of Woudrichem.

Das Wassertor des alten Festungsstädtchen Woudrichem.

La porte d'eau de la vieille forteresse de Woudrichem.

Kasteel Neubourg in Gulpen.

Castle Neubourg in Gulpen.

Schloss Neubourg in Gulpen.

Le château de Neubourg à Gulpen.

Uitzicht vanaf kasteel Neercanne bij Maastricht.

View from Castle Neercanne near Maastricht.

Aussicht ab Schloss Neercanne bei Maastricht.

Vue du château de Neercanne près de Maastricht.

Het 17e-eeuwse kasteel te Eijsden.

The 17th-century castle of Eijsden.

Das Schloss in Eijsden aus dem 17. Jahrhundert.

Le château du 17e siècle à Eijsden.

Kasteel te Wijnandsrade.

Castle in Wijnandsrade.

Schloss in Wijnandsrade.

Château à Wijnandsrade.

De ridderzaal van de imposante ruïne van het kasteel Valkenburg.

The Knights' Hall, part of the imposing ruins of Castle Valkenburg.

Der Rittersaal der imposanten Ruine von Schloss Valkenburg.

La salle d'honneur de l'imposante ruïne du château de Valkenburg.

Faliezusterklooster en Pater
Vincktoren in Maastricht.

Faliezusterklooster (convent) and
Pater Vincktoren (tower) in
Maastricht.

Faliezusterklooster (Kloster) und
Pater Vincktoren (Turm) in
Maastricht.

Faliezusterklooster (couvent) et
Pater Vincktoren (tour) à
Maastricht.

Helpoort, de oudste stadspoort
van Nederland (13e eeuw), en
Pater Vincktoren in Maastricht.

Helpoort, the oldest town gate in
the Netherlands (13th century),
and Pater Vincktoren (tower) in
Maastricht.

Helpoort, das älteste Stadttor der
Niederlande (13. Jahrhundert),
und Pater Vincktoren (Turm) in
Maastricht.

La Helpoort (porte de l'enfer),
la plus vieille porte de ville des
Pays-Bas (13e siècle) et Pater
Vincktoren (tour) à Maastricht.

EN DE BOER, HIJ PLOEGDE VOORT...

Het werk van de boer is de laatste jaren sterk veranderd, het aanzien van de boerderij veranderde mee. Moderne machines en automatisering hebben de oude landbouwwerktuigen en werkmethoden verdrongen. Nieuwe bedrijfsgebouwen zijn in de plaats gekomen van de traditionele boerenhoeven. De originele landelijke en kleurrijke boerenplaatsen zijn aan het verdwijnen, maar bij nadere beschouwing is er nog veel over van vroeger. De details vallen op: de klompen bij de voordeur, de overall aan de waslijn. De verbondenheid van de boer met het land blijkt uit de aankleding van het erf en het beheer van de grond.
Iedere landstreek heeft zijn eigen boerderijtype. Zo zijn talloze huizen in het oosten van het land van het 'los hoes'-type, bijvoorbeeld op de oude esgronden en rond de brinken in Drenthe. In een 'los hoes' zijn woon-, eet- en slaapruimte alsook de werkplaats, de graanzolder en de veestallen ondergebracht in één grote ruimte.
De Noord-Hollandse, piramidevormige stolpboerderijen van Twisk stralen voornaamheid uit, temeer daar ze versierd zijn met een klokgevel en omgeven worden door grachten met schilderachtige witte houten bruggetjes.
Op een eiland als Texel werd de inrichting van vele boerderijtjes bepaald door de schapenteelt. Grote boerenhoeven zijn er nauwelijks te vinden.
Een sfeer zoals die door oude ansichtkaarten wordt opgeroepen is merkbaar in de afgelegen en pittoreske buurtschap Zwartwaterklooster waar nog de oude melkbussen voor de deur staan.
Boerderijen ten zuiden van de Utrechtse Heuvelrug liggen temidden van stille oude ridderhofsteden waardoor nog een enigszins middeleeuwse sfeer valt te bespeuren. Ze worden nu objecten van mijmeringen over het landleven van weleer.

NO REST FOR THE WEARY FARMER

Over the years the job of a farmer has changed a lot and so has the Dutch farm. Modern machines and techniques have replaced the old farming machines and working methods. There are new factory-like buildings instead of the old traditional Dutch farms. Although many of the picturesque farmsteads are gradually disappearing the Dutch farmland has still a lot to offer and some things have hardly changed like the wooden shoes at the front door and the overalls hanging from the clothesline billowing in the wind. The beauty of the farmyards proves beyond doubt that Dutch farmers feel a strong bond with the land they work.
Each region has its own type of farmhouse. A number of houses in the eastern part of the country is a so called 'los hoes' that can still be seen on many mounds and around village greens in the province of Drenthe.
Another type of farmhouse, typical of the province of Noord-Holland, is the cheese-cover farmhouse with its characteristic, ornamented Dutch gable. There are some nice examples of this type in the village of Twisk. The instill an air of respectability that is enhanced by the geometric canals with their picturesque white wooden bridges that surround them.
On islands like Texel the layout of the farmhouses was very much dictated by the fact these islands were sheep breeding land. This means that on these islands large farms are a rarity.
The rural atmosphere that is evoked by old picture postcards can be enjoyed in the remote and picturesque hamlet of Zwartwaterklooster where one can still see the traditional milk cans by the front door.
Farmhouses south of the Utrechtse Heuvelrug lie among old estates where many years ago knights used to live. You can still feel something of the medieval atmosphere when visiting that part of the country.

Bauernhöfe

UND DER BAUER, ER PFLÜGTE WEITER...
Die Arbeit des Bauers hat sich in den vergangenen Jahren stark geändert, das Aussehen des Bauernhofs hat sich mitgeändert. Moderne Maschinen und Automatisierung haben die alten landwirtschaftlichen Geräte und Arbeitsmethoden verdrungen. Neue Wirtschaftsgebäude haben die traditionellen Bauernhöfe ersetzt. Die originellen ländlichen und farbenreichen Bauernorte verschwinden langsam, aber bei näherer Betrachtung ist noch viel von früher übrig. Die Details fallen auf: die Holzschuhe an der Vordertür, der Overall an der Wäscheleine. Die Verbundenheit des Bauerns mit dem Land zeigt sich in der Gestaltung des Hofs und der Verwaltung des Bodens.
Jeder Landstrich hat seine eigene Art von Bauernhof. Viele Häuser im Osten des Landes sind ein 'Los Hoes', der in Drenthe auf den alten Ackerländern und um den Angern herum viel vorkommt.
Die mit einem geschweiften Giebel geschmückten Gulfhäuser von Noord-Holland in Twisk strahlen eine Vornehmlichkeit aus, zumal, da sie mit Grachten mit malerischen weißen Holzbrückchen umgeben sind.
Auf einer Insel wie Texel wird die Einrichtung vieler kleiner Bauernhöfe von der Schafzucht bestimmt. Große Bauernhöfe gibt es kaum noch.
Eine Atmosphäre, wie sie von alten Ansichtskarten aufgerufen wird, ist in dem abgelegen und malerischen Dorf Zwartwaterklooster merkbar, wo noch die alten Milchkannen vor der Tür stehen.
Bauernhöfe südlich des Utrechter Heuvelrug liegen inmitten stiller alter Ritterhofstädte, sodass noch eine einigermaßen mittelalterliche Atmosphäre zu verspüren ist. Sie werden jetzt Objekte von Träumereien über das Landleben der damaligen Zeit.

Fermes

IL FAUT CULTIVER SON JARDIN......
Ces dernières années les travaux de la ferme ont changé énormément, et ainsi son prestige.
Les machines modernes et l'informatisation ont chassé les outils et les anciennes méthodes agricoles. De nouvelles exploitations agricoles ont remplacé les fermes traditionnelles.
Les villages ruraux originaux et pittoresques sont en train de disparaître, cependant au deuxième regard il reste beaucoup de traces du temps passé. Les détails sautent aux yeux: les sabots devant la porte, la combinaison de travail à la corde à linge. L'aménagement de la cour et la gestion du terrain font preuve du liaison du fermier avec la terre.
Chaque région a sa propre ferme caractéristique.
Beaucoup de maisons dans l'est du pays sont un 'los hoes' qu'on trouve souvent autour des places de village à Drenthe.
Les fermes pyramidales de Twisk à Noord-Holland, décorées d'un pignon en cloche se distinguent par leur entourage: les canaux aux ponts pittoresques de bois blanc.
Dans une île comme Texel l'aménagement de beaucoup de fermes fut déterminé par l'élevage de moutons. On n'y trouve guère de grandes exploitations agricoles.
L'ambiance évoquée par les vieilles cartes postales est encore perceptible dans le hameau isolé et pittoresque de Zwartwaterklooster où les bidons à lait se trouvent toujours devant la porte.
Les fermes au sud de l'Utrechtse Heuvelrug se trouvent au milieu de vieilles fermes nobles et rustiques où on ressent encore l'atmosphère quelque peu médiéval. Maintenant elles sont devenues des souvenirs de la vie champêtre d'antan.

Een oud-Saksische boerderij in Orvelte.

An Old-Saxon farmhouse in Orvelte.

Ein altsächsischer Bauernhof in Orvelte.

Une ferme saxonne à Orvelte.

Het erf van een boerderij in Orvelte.

Frontyard of a farmhouse in Orvelte.

Der Hof eines Bauernhofs in Orvelte.

La cour d'une ferme à Orvelte.

Boerderijtje bij de Foeke, omgeving St. Jansklooster.

Small farmhouse near de Foeke, not far from St. Jansklooster.

Kleiner Bauernhof bei Foeke, Umgebung St. Jansklooster.

Petite ferme près du Foeke, dans les environs du village de St. Jansklooster.

Boerderijen in Staphorst met hun kenmerkende hardgroene en blauwe kleuren.

Farmhouses in Staphorst in characteristic clear green and blue colours.

Bauernhöfe in Staphorst mit ihren kennzeichnenden hartgrünen und blauen Farben.

Ferme à Staphorst aux couleurs vertes et bleues caractéristiques.

De bosboerderij" (1850) in het
Buurserzand bij Haaksbergen is een
goed voorbeeld van een 'los hoes'.

De bosboerderij" (The farmhouse in
he woods,1850) in Buurserzand near
Haaksbergen is a good example of a
os hoes'.

De bosboerderij" (Waldbauernhof,
850) in Buurserzand bei Haaksbergen
st ein gutes Beispiel eines 'Los Hoes'.

De bosboerderij" (La ferme de la
orêt) de 1850 au Buurserzand près de
Haaksbergen est un bon exemple d'un
os hoes'.

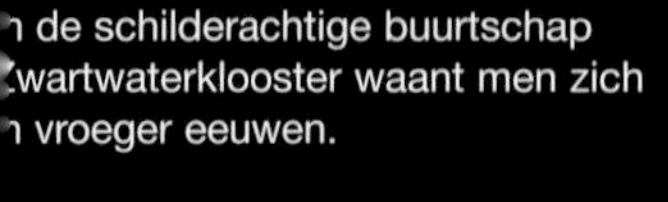

n de schilderachtige buurtschap
Zwartwaterklooster waant men zich
n vroeger eeuwen.

n the picturesque hamlet of Zwartwaterklooster time seems to have
tood still.

m malerischen Dorf Zwartwater-
looster wähnt man sich in früheren
ahrhunderten.

Dans le hameau pittoresque de Zwartwaterklooster on se croit au siècles
assés.

Hooibergen op landgoed de Velhorst nabij Almen, Lochem.

Haystacks on estate De Velhorst near Almen, Lochem.

Heuhaufen auf dem Landgut De Velhorst in der Nähe von Almen, Lochem.

Meules de foin sur le domaine de Velhorst près d'Almen, Lochem.

In Woold, ten zuiden van Winterswijk, liggen kleurige Achterhoekse boerderijen.

In Woold, south of Winterswijk, you can find colourful farm-houses that are typical of the region called Achterhoek.

In Woold, südlich von Winterswijk, liegen farbenreiche Bauernhöfe aus der Achterhoek.

À Woold, au sud de Winterswijk, on trouve des fermes multicolores de l'Achterhoek.

Een boerderij op landgoed de Velhorst, omgeving Almen.

Farmhouse on the estate De Velhorst near Almen.

Ein Bauernhof auf dem Landgut De Velhorst, Umgebung Almen.

Une ferme sur le domaine de Velhorst, environs d'Almen.

Oude boerderij langs de Langbroeker Wetering.

Old farmhouse on the Langbroeker Wetering (irrigation canal).

Alter Bauernhof entlang dem Fluss Langbroeker Wetering.

Vieille ferme sur les bords du Langbroeker Wetering (canal d'irrigation).

Een van de prachtige boerderijen langs de vaart in Twisk.

One of the beautiful farmhouses along the canal in Twisk.

Einer der schönen Bauernhöfe entlang dem Kanal in Twisk.

Une des fermes magnifiques sur les bords du canal à Twisk

In de omgeving van Den Hoorn op Texel vindt men dit soort schilderachtige boerderijtjes.

These picturesque farmhouses can be found on the isle of Texel near the village of Den Hoorn.

In der Umgebung von Den Hoorn auf der Insel Texel findet man diese Art von malerischen kleinen Bauernhöfen.

Dans les environs de Den Hoorn à Texel on trouve ce genre de fermes pittoresques

Limburgse boerderij nabij Pesaken.

Farmhouse typical of the province of Limburg near the village of Pesaken.

Limburger Bauernhof in der Nähe von Pesaken.

Ferme de Limburg près de Pesaken.

Binnenplaats van een Zuid-Limburgse boerderij in Helle.

Inner courtyard of a farm typical of Southern Limburg in the village of Helle.

Innenhof eines Südlimburger Bauernhofs in Helle.

Cour d'une ferme de Zuid-Limburg à Helle.

DRAAIENDE SCHOONHEDEN IN HET LANDSCHAP

In het uitgestrekte polderland, maar ook elders in Nederland, staan honderden molens - symbolen van de voortdurende strijd tegen het water en schilderachtige herinneringen aan vroegere nijverheid. Door water of wind aangedreven hadden ze eeuwenlang hun functie als krachtbron. Ze werden gebruikt als korenmolen, oliemolen, mosterdmolen, verfmolen of als houtzaagmolen. Ze waren er in diverse types: wipmolens, watermolens, windmolens. Andere molens pompten het natte land droog door met schepraderen het overtollige water naar buiten te werken.

Maar dat was toen...

De molens werden vervangen door grote stoomgemalen en door stoommachines. Van de ongeveer 600 molens die in de 17e eeuw in de Zaanstreek stonden, zijn verreweg de meeste verdwenen. Enkele zijn gebleven. Soms zijn ze zelfs nog in gebruik. Ze doen de 17e-eeuwse sfeer langs de rivier herleven.

Degene die de technische vooruitgang hebben overleefd staan nu stoer in het landschap. Ze geven de groene vlakten van Holland een landelijk karakter en vormen de bezienswaardigheden van het lage land. Het zijn veelvuldig geschilder-

SAILS THAT CAN'T STOP TURNING

In the vast polders and elsewhere in the Netherlands hundreds of windmills stand proud and firm, symbols of the continuing battle against the water and picturesque monuments reminding us of trade and industry in former days. Worked by water or wind these mills were for quite a number of centuries important sources of energy. They were used as cornmills, oilmills, mustardmills, paintmills or sawmills. There were various types of mills including the smockmill, watermill and windmill. Other mills were used to drain the wetlands with the help of paddle wheels.

But things have changed ....

Mills were replaced by huge steamdriven pumping stations and by steam engines. Of the ca. 600 mills that were used in 17th-century Zaanstreek (region) most have disappeared. Some have survived and some of these are still used. Standing along various rivers they inspire something of a 17th-century atmosphere. The surviving mills tower regally over the Dutch landscape. They imbue the landscape with a rural 'couleur locale' and are the touristic highlights of the Low Countries. No wonder that so many people stop and take pictures and no

Mühlen

DREHENDE SCHÖNHEITEN IN DER LANDSCHAFT

Im ausgedehnten Polderland, aber auch an anderen Orten in der Niederlande, stehen Hunderte von Mühlen - Symbole des fortwährenden Kampfes gegen das Wasser und malerische Erinnerungen an das frühere Gewerbe. Von Wasser oder Wind angetrieben, hatten sie Jahrhunderte lang ihre Funktion als Kraftquelle. Sie wurden als Getreidemühle, Ölmühle, Senfmühle, Farbmühle oder als Sägemühle benutzt. Es gab sie in verschiedenen Arten: Blockwindmühlen, Wassermühlen, Windmühlen. Andere Mühlen entwässerten das nasse Land, indem sie mit Schöpfrädern das überflüssige Wasser abtransportierten.
Aber das war damals ...
Die Mühlen wurden von großen Dampfschöpfwerken oder von Dampfmaschinen ersetzt. Von den circa 600 Mühlen, die im 17. Jahrhundert in der Gegend Zaanstreek standen, sind weitaus die meisten verschwunden. Einige sind geblieben. Manchmal sind sie sogar noch in Betrieb. Sie beleben die Atmosphäre aus dem 17. Jahrhundert entlang dem Fluss wieder.
Diejenigen, die den technischen Fortschritt überlebt haben, stehen jetzt stramm in der Landschaft. Sie verleihen den grünen Flächen Hollands einen ländlichen Charakter und bilden die Sehenswürdigkeiten des Flachlands. Es sind vielfältig gemalte und fotografierte Schönheiten entlang Flüssen und Graben.
In Kinderdijk stehen neunzehn Mühlen. Sie sind berühmt geworden. Sie erscheinen noch romantischer, wenn sie bedrohlich gegen eine dunkle Sturmluft über dem einsamen Polderland abstechen. Mühlen sind markante und fesselnde Gebilde, die es wert sind, gehegt zu werden.

Moulins

TRÉSORS TOURNANTS DANS LE PAYSAGE

Dans les polders étendus, comme ailleurs aux Pays-Bas, se trouvent des centaines de moulins - symboles de la lutte continue contre l'eau et autant de souvenirs pittoresques d'une industrie d'autrefois. Mis en marche par l'eau ou le vent ils ont fonctionné pendant des siècles comme source d'énergie. Ils ont servi comme moulin à blé, moulin à huile, moulin à moutarde, moulin à teinture, ou comme moulin à scier. Il existait des types différentes comme les moulins à eau et les moulins à vent. D'autres moulins dont la roue à aubes expulsait l'eau superflu pompaient la terre à sec. Mais ça, c'était autrefois...
Les moulins furent remplacés par les grandes pompes d'épuisement et les machines à vapeur. Des quelque 600 moulins qui se trouvaient dans la région Zaanstreek au 17e siècle la plupart a disparu. Quelques-uns ont subsisté. Parfois même ils sont encore en usage. Ils font revivre l'atmosphère du 17e siècle le long de la rivière. Ceux qui ont survécu au progrès technique ornent solidement le paysage. Ils donnent un air de campagne aux plaines vertes de la Hollande et ils constituent les curiosités du pays bas. Ce sont des beautés souvent peintes et photographiées le long des rivières et des canaux.
À Kinderdijk on en trouve dix-neuf. Ceux-ci sont devenus fameux. Quand ils ressortent contre les nuages noirs d'un orage au-dessus du paysage désert ils paraîssent encore plus romantiques. Les moulins sont des constructions caractéristiques et fascinantes qui méritent être préservées.

Windkorenmolen (1755) aan de zuidzijde van Sloten.

Wind flourmil (1755) south of Sloten.

Windgetreidemühle (1755) an der Südseite Slotens.

Moulin à vent et à blé (1755) au sud de Sloten.

De indrukwekkende olie- en korenmolen Woldzigt uit 1852 bij Roderwolde.

The imposing oil- and flourmill Woldzigt dating from 1852 near Roderwolde.

Die eindrucksvolle Öl- und Getreidemühle Woldzigt aus 1852 bei Roderwolde.

Le moulin à huile et à blé impressionnant de Woldzigt près de Roderwolde date de 1852.

De molen De Wachter bij de Tienhovense Plassen.

Windmill De Wachter near the Tienhovense Plassen (lakes).

Die Mühle De Wachter bei den Tienhovense Plassen (Seen).

Le moulin De Wachter près des Tienhovense Plassen (lacs).

De twee prachtige Westbroekse molens nabij Oud-Zuilen.

The two beautiful mills of Westbroek near Oud-Zuilen.

Die zwei schönen Westbroeker Mühlen in der Nähe von Oud-Zuilen.

Les deux moulins superbes de Westbroek près d'Oud-Zuilen.

Molens aan de Zaanse Schans.

Windmills along the Zaanse Schans.

Mühlen an der Zaanse Schans.

Moulins au Zaanse Schans.

Molen met huisje in Hei- en Boeicop.

Windmill and small house in Hei- en Boeicop.

Mühlen mit Häuschen in Hei- en Boeicop.

Moulin avec petite maison à Hei- en Boeicop.

De bekende molen
Bonrepas (1600) aan
de Vlist.

The famous windmill
Bonrepas (1600) situated
on the river Vlist.

Die bekannte Mühle
Bonrepas (1600) am Fluss
Vlist.

Bonrepas, le moulin connu
à la rivière de la Vlist date
de 1600.

Molen bij Hoogmade.

Windmill near Hoogmade.

Mühlen bei Hoogmade.

Moulin près de

Vijf van de negentien molens van Kinderdijk.

Five of the nineteen windmills of Kinderdijk.

Fünf der neunzehn Mühlen von Kinderdijk.

Cinq des dix-neuf moulins de Kinderdijk.

De molen bij het dorp Vlist.

Windmill near the village of Vlist.

Die Mühle beim Dorf Vlist.

Le moulin près du village de Vlist.

Dorps- en stadsgezichten

LANGS STAD EN DORP

Wandelen door dromerige dorpen en buurtschappen, dwalen in historische vestingstadjes, slenteren in sfeervolle steden langs grachten en over pleinen. De tocht voert langs oude boerderijen en schuren, over bruggetjes en door straatjes met kinderhoofdjes. Soms ligt een dorpje wat hoger op een terp zodat bewoners de voeten droog houden wanneer het omliggende land is overstroomd. Voor een ander dorp dient een dijk ter bescherming tegen het eigenzinnige water. Nu eens een pittoresk vissersdorp waar de visvangst zijn beste tijd heeft gehad, dan weer een buurtschap waar de tijd lijkt te hebben stil gestaan.
Vestingstadjes met vervallen stadsmuren en -poorten herinneren aan roerige tijden. Men waant zich, al dwalend door een wirwar van straatjes, in de 17e eeuw. Veel bezienswaardigheden dateren uit tijden dat handel en scheepvaart nog van betekenis waren. Sommige stadjes waren tot grote bloei gekomen, maar door de eeuwen heen hebben ze langzamerhand hun belangrijke functie en daarmee hun rijkdom verloren. Nu zijn ze verstild, sfeer en tradities zijn gebleven.
In grote steden getuigen stadsgrachten en voorname panden met gevels, kerken met sierlijke torens en oude pakhuizen van een rijk verleden. Monumentale handelshuizen aan de grachten zijn overblijfselen van pracht en praal in voorbije eeuwen. Hoe groter de bouwwerken, des te machtiger de steden ooit zijn geweest.
Nu vormen deze bezienswaardigheden belangrijke toeristische trekpleisters.

Towns and villages

TOWNS AND VILLAGES

Walking through sleepy old villages and hamlets, roaming through ancient fortified cities, strolling through attractive old towns along canals and lovely squares. The route takes you past old farmhouses and charming old sheds, across lovely old bridges and through narrow cobbled streets. You will see villages that lie a little higher on a hillock so that the inhabitants will keep their feet dry when the surrounding land is flooded. Other villages are protected from the water by a dyke. You will see picturesque fishing villages and hamlets where time seems to have stood still. Fortified towns with dilapidated walls and gates remind us of turbulent times. Strolling through a maze of narrow lanes one might as well be a citizen of the seventeenth century.
Many sites date from the time when trade and shipping flourished. Some towns which then prospered have over the years lost their wealth and important positions. Now they are havens of peace and tradition.
In the big cities the canals, beautiful gabled houses, impressive churches with their elegant spires and old warehouses bear witness to a rich past. Monumental houses that were once owned by rich merchants, give us some insight into the wealth of ages past. The bigger these edifices were, the more power these cities must have enjoyed.
No wonder that now these places attract many tourists.

Dorf- und Stadtansichten

STADT UND DORF ENTLANG

Spazieren durch träumerische Dörfer und Weiler, streifen durch historische Festungsstädtchen, schlendern durch stimmungsvolle Städte entlang Grachten und über Plätze. Die Tour führt entlang alten Bauernhöfen und Scheunen, über Brückchen und durch Straßen mit Kopfsteinpflaster. Manchmal liegt ein kleines Dorf etwas höher auf einer Warft, sodass Bewohner die Füße trocken halten, wenn das umliegende Land überschwemmt wird. Für ein anderes Dorf dient ein Deich als Schutz gegen das eigensinnige Wasser. Bald ein malerisches Fischerdorf, wo der Fischfang seine beste Zeit hatte, bald ein Dörfchen, wo es scheint als habe die Zeit stillgestanden.
Festungsstädtchen mit verfallenen Stadtmauern und -Toren erinnern an bewegte Zeiten. Man wähnt sich, durch ein Labyrinth von kleinen Straßen streifend, im 17. Jahrhundert. Viele Sehenswürdigkeiten datieren aus Zeiten, in denen Handel und Schifffahrt noch von Bedeutung waren. Manche Städtchen waren zur großen Blüte gekommen, aber im Laufe der Jahrhunderte haben sie allmählich ihre wichtige Funktion und damit ihren Reichtum verloren. Jetzt sind sie verstummt, Atmosphäre und Traditionen sind geblieben.
In großen Städten zeugen Stadtgrachten und vornehme Häuser mit Giebeln, Kirchen mit zierlichen Türmen und alte Lagerhäuser von einer reichen Vergangenheit. Monumentale Geschäftshäuser an den Grachten sind Überreste vom großen Prunk in vergangenen Jahrhunderten. Je größer die Bauwerke, desto mächtiger die Städte jemals waren.
Jetzt stellen diese Sehenswürdigkeiten wichtige touristische Attraktionen dar.

Vues de villes et de villages

AUTOUR DES VILLES ET DES VILLAGES

Promenons-nous par les villages et voisinages rêveurs, traversons au hasard les forteresses historiques, longeons les bords des canaux et flânons sur les places dans les villes pleines d'ambiance. La randonnée mène le long de vieilles fermes et granges, traverse de vieux ponts et passe par de petites rues pavées. Parfois un village est situé un peu élevé, sur une butte, de sorte que les habitants restent au sec quand les terres d'alentour sont inondées. D'autres villages sont protégés contre les eaux obstinées par une digue. Par ci un petit port pittoresque où la pêche a connu de meilleurs temps par là un voisinage où règne encore le bon vieux temps.
Des villes fortifiées aux murs et aux portes délabrés rappellent les époques turbulents. En se baladant par le labyrinthe de petites rues on se croit au 17e siècle. Bien des curiosités datent de l'époque où la commerce et la navigation connaissaient un grand essor. Quelques villes ont connu une prospérité énorme, mais au cours des siècles elles ont perdu petit à petit leur importance et avec cela leur richesse. Actuellement elles sont tranquilles, mais l'ambiance et les traditions sont restées.
Dans les grandes villes les canaux et les immeubles distingués aux belles façades, les tours d'église élégantes et les vieux entrepots témoignent d'un passé florissant.
Les maisons de commerce monumentales aux canaux sont des vestiges de la splendeur des siècles passés. Plus les immeubles étaient grands, plus le pouvoir des villes était considérable.
Maintenant ces curiosités sont des attractions touristiques importantes.

De beroemde 'hangende keukens' van Appingedam.

Die berühmten ‚hängenden Küchen' von Appingedam.

De dorpsstraat van Garnwerd.

Die Dorfstraße von Garnwerd.

The high street of the

La rue principale de

De vesting Bourtange is
beschermd dorpsgezich

The citadel Bourtange is
preserved village centre.

Die Festung Bourtange i
geschützte Dorf-ansicht.

La forteresse de Bourtar
un village monumental.

Het op een wierde gebo
Ezinge heeft een dorpss
oude huisjes en een 14e
kerk.

The village of Ezinge, bu
mound, has a village str
old houses and a 14th-c
church.

Das auf einer Warft geba
Ezinge hat eine Dorfstra
alten Häuschen und eine
aus dem 14. Jahrhunder

Ezinge est bâti sur un 'w
(butte), elle a une rue pri

raaie trapgevels aan de
racht van het kleine stad-
Sloten.

ne stepped gables on
e canal of the small town
Sloten.

erliche Treppengiebel an
er Gracht des kleinen
ädtchens Sloten.

elles pignons à redans
ı canal du petit village de
oten.

e skyline van Piaam.

he skyline of Piaam.

ie Skyline von Piaam.

a silhouette de Piaam.

De Sassenpoort aan de zuidrand van het centrum van Zwolle dateert van 1409.

The Sassenpoort (gate) on the south edge of the centre of

Das Sassenpoort (Tor) am Südrand des Zentrums von Zwolle datiert aus 1409.

La Sassenpoort (porte) au sud du centre de Zwolle date

Het stille dorpje Lutkewierum.

The quiet little village of Lutkewierum.

Das stille Dörfchen Lutkewierum.

Le village calme de Lutkewierum.

Straatje in karakteristiek Blokzijl.

Small street in characteristic Blokzijl.

Sträßchen im charakteristischen Blokzijl.

Petite rue dans le village caractéristique de Blokzijl.

Typische vakwerkhuizen in Ootmarsum.

Typical timbered houses in Ootmarsum.

Typische Fachwerkhäuser in Ootmarsum.

Maisons à colombage typiques à Ootmarsum.

Klokgevels aan het haventje van Blokzijl.

Dutch gables on the harbour of Blokzijl.

Geschweifte Giebel am kleinen Hafen von Blokzijl.

Pignons en cloche dans le petit port de Blokzijl.

Ochtendzon op een pleintje achter de St.-Lebuïnuskerk in Deventer.

Square behind the St.-Lebuïnuskerk (church) in Deventer basking in the morning sun.

Morgensonne auf dem Platz hinter der St.-Lebuïnuskerk (Kirche) in Deventer.

Soleil du matin sur une petite place derrière le St.-Lebuïnuskerk, une église à Deventer.

Straatje met boerderijen in het kleinste stadje van Nederland: Bronkhorst.

Street lined with farmhouses in the smallest town in the Netherlands: Bronkhorst.

Sträßchen mit Bauernhöfen in der kleinsten Stadt der Niederlande: Bronkhorst.

Petite rue avec des fermes dans le plus petit village des Pays-Bas: Bronkhorst.

Vispoort en muurhuizen van het historische stadje Harderwijk.

Fishgate and houses built against the city walls in the historic town of Harderwijk.

Fischtor und Mauerhäuser des historischen Städtchens Harderwijk.

Porte de pêche et ‘muurhuizen’ (maisons bâties contre le mur) de la ville historique de Harderwijk.

De 15e-eeuwse Dijkpoort van Hattem is een restant van de laatmiddeleeuwse vestingstad.

Das Dijkpoort (Tor) von Hattem auf dem 15. Jahrhundert ist ein Reststück der spätmittelalterlichen Festungsstadt.

The 15th-century

Het fotogenieke Buren heeft een beschermd stadsgezicht. Hier de Lambertuskerk met omringende daken.

Das fotogene Buren hat eine geschützte Stadtansicht. Hier die Lambertuskerk (Kirche) mit umringenden Dächern.

The photogenic town of Buren has a preserved centre. Here we see the Lambertuskerk (church)and some surrounding roofs.

Le village de Buren est très photogénique; il est monumental. Voici le Lambertuskerk (église) et les toits qui l'entourent.

Scheepswerf van het oude vissersdorp Spakenburg.

Schiffswerft des alten Fischerdorfs Spakenburg.

Oudewater: gracht en huizen in een unieke Hollandse omgeving.

Oudewater: Gracht und Häuser in einer einzigartigen holländischen Umgebung.

Marken, in het voorjaar omringd door weiden met boterbloemen.

Marken in spring, surrounded by meadows dotted with buttercups.

Marken, im Frühjahr mit Wiesen mit Butterblumen umringt.

Marken au printemps, entouré de prés aux renoncules.

Karakteristieke huizen van Marken.

Typical Marken houses.

Charakteristische Häuser von Marken.

Les maisons caractéristiques de Marken.

Durgerdam, even ten noorden van Amsterdam, was vroeger een vissersdorp aan de Zuiderzee (IJsselmeer).

Het Zuiderzeemuseum in Enkhuizen.

The Zuiderzeemuseum in Enkhuizen.

Das Zuiderzeemuseum in Enkhuizen.

Le musée du Zuiderzee à Enkhuizen.

Smalle straatjes met kleuri houten huisjes in het oude serdorp Volendam.

Narrow streets with colour little wooden houses in the fishing village of Volendam

Schmale Sträßchen mit fa gen Holzhäusern im alten Fischerdorf Volendam.

Les rues étroites aux mais multicolores dans le vieux de pêche de Volendam.

Zaanse Schans met kleurige houten huisjes.

Zaanse Schans with colourful little wooden houses.

Zaanse Schans mit farbigen Holzhäusern

Zaanse Schans aux maisons multicolores.

Het Raadhuis van De Rijp (1630) werd gebouwd door Leeghwater.

The Raadhuis (Town Hall) of De Rijp (1630) was built by Leeghwater.

Das Rathaus von De Rijp (1630) wurde von Leeghwater gebaut.

L'Hôtel de Ville de De Rijp (1630) a été bâti par Leeghwater.

Haventje en raadhuis in Monnickendam.

Little harbour and town hall of Monnickendam.

Hafen und Rathaus in Monnickendam.

Petit port et Hôtel de Ville à Monnickendam.

Geveltjes in Edam.

Gables in Edam.

Giebel in Edam.

Façades à Edam.

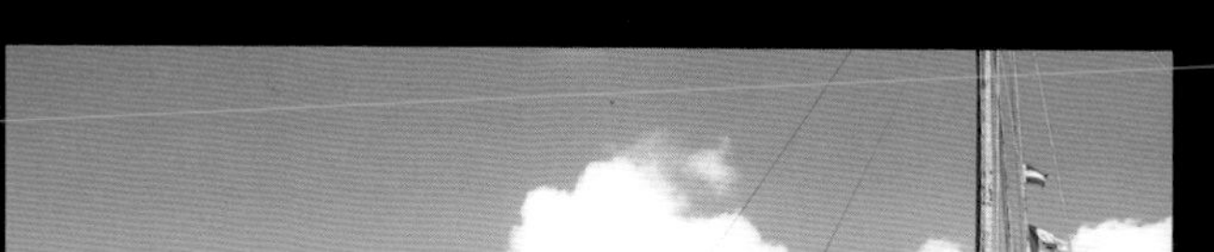

Zicht op het centrum van Edam, met haventje en ophaalbrug.

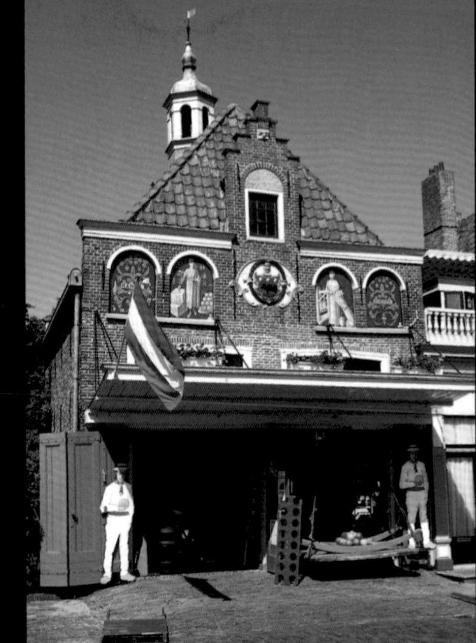

De haven van Hoorn.

The harbour of Hoorn.

Der Hafen von Hoorn.

Le port de Hoorn.

Daken achter de dijk van Durgerdam.

Roofs behind the dyke of Durgerdam.

Dächer hinter dem Deich von Durgerdam.

Toits derrière la digue de Durgerdam.

Het Begijnhof is het bekendste hofje van Amsterdam.

The Begijnhof is the most famous complex of almshouses in Amsterdam.

Der Begijnhof ist der bekannteste Innenhof von Amsterdam.

Le Begijnhof (Béguinage) est l'enclos le plus connu d'Amsterdam.

Brug over de schilderachtige Bloemgracht.

Bridge across the picturesque Bloemgracht.

Brücke über die malerische Bloemgracht.

Pont sur le pittoresque Bloemgracht.

Hoek Keizersgracht-Leidsegracht.

The corner of the Keizersgracht and Leidsegracht.

Ecke Keizersgracht-Leidsegracht.

A l'angle du Keizersgracht-Leidsegracht.

De Nieuwmarkt, Amsterdam.

Nieuwmarkt, Amsterdam.

Der Nieuwmarkt, Amsterdam.

Le Nieuwmarkt, Amsterdam.

De Magere Brug over de Amstel.

The Magere Brug (Meagre Bridge)across the Amstel.

Die Magere Brug (Magere Brücke) über die Amstel.

Le Magere Brug (le Pont Maigre) sur l'Amstel.

Het haventje van Zandhoek, Amsterdam.

Der kleine Hafen von Zandhoek, Amsterdam.

De Herengracht.

Herengracht.

Die Herengracht.

Le Herengracht.

Gevels aan de Prinsengracht.

Gables along the Prinsengracht.

Giebel an der Prinsengracht.

Façades au Prinsengracht.

Het zeer bijzondere Andreashofje van Katwijk met oude vissershuisjes.

The very curious Andreashofje (complex of almshouses) in Katwijk with old fisherman's houses.

Der sehr besondere Innenhof Andreashofje von Katwijk mit alten Fischerhäuschen.

Le remarquable Andreashofje (enclos) de Katwijk avec de vieilles maisons de pêcheurs.

Scheveningen met boulevard en pier heeft als toeristische badplaats veel attracties.

Scheveningen, a famous seaside resort with pier and boulevard, well known for its many tourist attractions.

Scheveningen mit Boulevard und Mole hat als touristischer Badeort viele Attraktionen.

Scheveningen avec son boulevard et son jetée: un station balnéaire avec bien des attractions.

De sfeer van vroeger tijden heerst nog in Goedereede.

In Goedereede you can still feel the atmosphere of the good old days.

Die Atmosphäre früherer Zeiten herrscht noch in Goedereede.

L'ambiance d'autrefois règne encore à Goedereede.

Het Heilige Geesthofje in
Naaldwijk.

The Heilige Geesthofje
(Almshouses of the Holy Spirit)
in Naaldwijk.

Der Innenhof Heilige
Geesthofje in Naaldwijk.

Le Heilige Geesthofje
(l'enclos du Saint-Esprit)
à Naaldwijk.

Rotterdam: de kubuswoningen
en woontoren aan het begin
van de Blaak.

In het oostelijk centrum van Rotterdam ligt het gezellige uitgaanscentrum De Oude Haven.

In the east centre of Rotterdam you find the swinging entertainment centre De Oude Haven (The Old Harbour).

Im östlichen Zentrum Rotterdams liegt das gemütliche Ausgeh- und Bummelviertel De Oude Haven.

Dans la partie est du centre de Rotterdam se trouve le quartier sympathique De Oude Haven (Le Vieux Port).

Het enige oude stadsdeel van Rotterdam is Delfshaven.

The only historical part of Rotterdam is Delfshaven.

Der einzige alte Stadtteil von Rotterdam ist Delfshaven.

Le seul quartier ancien de Rotterdam est Delfshaven.

Brielle heeft een uniek stadspleintje.

Brielle has a unique town square.

Brielle hat einen einzigartigen kleinen Stadtplatz.

Brielle avec sa place municipal unique.

Straatje en kerk in Brielle.

Alley and church in Brielle.

Sträßchen und Kirche in Brielle.

Petite rue et église à Brielle.

Harbour houses in Zierikzee.

Hafenhäuser in Zierikzee.

Maisons du port à Zierikzee.

Oude huizen aan de Kaai van Veere.

Old houses along the Kaai (quayside) in Veere.

Alte Häuser an der Kaai von Veere.

Vieilles maisons au Kaai (Quai) de Veere.

e stadje Heusden.

ne little harbour in the
tractive town of
eusden.

er kleine Hafen des
emütlichen Städtchens
eusden.

e petit port de la ville
narmante de Heusden.

et marktplein met de
lariakapel in Eersel.

larket square and
lariakapel (chapel) in
ersel.

er Marktplatz mit der
lariakapel in Eersel.

a place du marché avec
lariakapel (chapelle) à
ersel.

Het witte stadje Thorn.

The little white town of Thorn.

Das weiße Städtchen Thorn.

La ville blanche de Thorn.

Het witte stadje Thorn.

The little white town of Thorn.

Das weiße Städtchen Thorn.

La ville blanche de Thorn.

Huizen langs de wal van Elsloo.

Houses along the ramparts of Elsloo.

Häuser entlang dem Wall von Elsloo.

Maisons le long des remparts d'Elsloo.

VAN WADDENDIJK TOT MERGELLAND

Uitgestrekte polders van groen, sloten omlijnd door rietkragen, vele kilometers dijk en draaiende molens: er valt veel te ontdekken op het platteland. Midden door de polders, langs boerderijen en veestallen, slingeren zich weggetjes met knotwilgen en riviertjes met gele rietzomen. Rust en ruimte voeren hier de boventoon. Wat is er heerlijker dan al fietsend of wandelend over dijken deel uit te maken van dit schouwspel van water, weiden en uiterwaarden? Waai uit in de wind, sta stil en geniet van het uitzicht. Vogelliefhebbers kunnen hier hun hart ophalen. Het natte poldergebied, in het voorjaar en de zomer gestoffeerd met ontelbare weidebloemen, is een landschappelijk hoogtepunt waarbij het rustieke karakter meestal goed bewaard is gebleven.

Maar Nederland heeft meer te bieden dan polders alleen. In het oosten en zuiden ligt een glooiend landschap met stille bossen en kleurige heidevelden. Het geheel is versierd met stuifzanden, weelderig begroeide stroomdalen en glinsterende vennen als parels in een groene zetting. De woeste en eenzame streken van vroeger, waar eeuwenlang zware stormen over zandvlak-

FROM WADDEN DYKE TO MARLSTONE COUNTRY

Vast green polders, ditches lined with fringes of reed, miles and miles of dykes and windmills flapping their sails in the wind: the Dutch countryside, flat though it may be, has a lot to offer. Lovely lanes wind through the polders along rows of willows and beautiful rivers with yellow fringes of reed. This is a land of space and rest. What can be nicer than to go cycling or walking along the dykes and thus be part of this wonderful scenery of water, grasslands and watermeadows? Get a breath of fresh air and take in this wonderful landscape. Birdlovers will have a field day. The wet polders that are dotted in spring with countless meadow flowers form a unique part of the Dutch countryside and have managed to preserve their quiet, rural character.

But the Netherlands have more to offer than just polders. In the east and south the country offers a gently undulating landscape with peaceful woods and colourful moors. Furthermore there are areas with drifting sand, beautifull green river valleys with all kinds of flowers and pools glistening like pearls in a green setting.

The wild and desolate regions of the past where

Landschaften

VOM WATTENDEICH ZUM MERGELLAND

Ausgedehnte grüne Polder, von Schilfgürteln umrandete Graben, viele Kilometer Deich und drehende Mühlen: Auf dem Land gibt es eine Menge zu entdecken. Mitten durch die Polder, Bauernhöfen und Viehställen entlang, schlängeln sich kleine Wege mit Kappweiden und kleinen Flüssen mit gelben Schilfrändern. Ruhe und Raum sind hier maßgeblich. Gibt es etwas herrlicheres als radelnd oder spazierend über Deiche Teil dieses Schauspiels von Wasser, Weiden und Deichvorland zu sein? Schnappen Sie frische Luft im Wind, stehen Sie still und genießen Sie die Aussicht. Vogelfreunde haben hier ihre Freude. Das nasse Poldergebiet, im Frühjahr und Sommer mit unzähligen Weideblumen geschmückt, ist ein landschaftlicher Höhepunkt, bei dem der ländliche Charakter meistens gut erhalten geblieben ist.
Aber die Niederlande hat mehr zu bieten als nur Polder. Im Osten und Süden liegt eine wellige Landschaft mit stillen Wäldern und farbigen Heidefeldern. Das Ganze wird geschmückt mit Flugsandgebieten, üppig bewachsenen Stromtälern und flimmernden Moorseen wie Perlen in einer grünen Fassung.
Die wüsten und einsamen Gegenden von früher, wo Jahrhunderte lang schwere Stürme über Sandflächen rasten, sind jetzt wertvolle Naturlandschaften. Für das Leben von Mensch, Tier und Pflanze ist es sehr wichtig, dass die Natur den erforderlichen Platz bekommt. Diese Natur dürfen wir dann unbeschränkt genießen, jeder auf seine eigene Art und Weise.

Paysages

DES DIGUES AU NORD JUSQ'AU TERRES MARNEUSES DANS LE SUD

Des polders étendus de verdure, des canaux aux bordures de roseaux, des kilomètres de digues et des moulins tournants: à la campagne il y a de quoi à découvrir.
De petits chemins aux saules et de petites rivières aux bords de jonc jaune se serpentent à travers les polders, le long des fermes et des étables. Ici la quiétude et l'espace règnent. Qu'y a-t-il de plus agréable que de participer - en vélo ou à pied – à cette image d'eau, de prés et de franc-bords? Prenez un bol d'air, arrêtez-vous et réjouissez-vous à la vue de tout cela. Les ornithologues peuvent s'en donner à coeur joie. Le terrain mouillé des polders, au printemps et en été tapissés d'innombrables fleurs des prés, est un joyeau parmi les paysages qui ont conservé leur caractère paisible.
Mais ce ne sont pas uniquement les polders que les Pays-Bas ont à offrir. Dans l'est et dans le sud on trouve un paysage vallonné aux forêts calmes et aux bruyères multicolores. L'ensemble est orné de dunes mouvantes, de vallées verdoyantes et de petits étangs miroitants, qui sont comme des perles dans une sertissure verte.
Les régions sauvages et désertes d'autrefois, où les tempêtes ont fait rage dans les plaines de sable pendant des siècles, sont actuellement des réserves naturelles précieuses. Pour la vie des hommes, des animaux et des plantes il est très important que la nature peut s'y développer. Ainsi nous pouvons nous régaler de cette nature de façon illimitée, chacun à sa propre manière.

Een dijk bij Hogebeintum is in juni bedekt met een bloemenzee van fluitenkruid.

A dyke near Hogebeintum in June, covered in cow parsley.

Ein Deich bei Hogebeintum ist im Juni mit einer Blumensee aus Wiesenkerbel bedeckt.

Au mois de juin une digue près de Hogebeintum est couverte d'un tapis de persil sauvage.

Een koolzaadveld bij Engwierum.

A field of rapeseed near Engwierum.

Ein Rapsfeld bei Engwierum.

Un champ de colza près d'Engwierum.

De Waddendijk bij Westhoek.

The Wadden dyke near Westhoek.

Der Wattendeich bei Westhoek.

De Waddendijk (la digue des Wadden) à Westhoek.

Een hunebed bij Sleen.

A megalithic tomb near Sleen.

Ein Hünenbett bei Sleen.

Un dolmen près de Sleen.

Landweggetje op de es bij Odoorn.

Country lane and field near Odoorn.

Kleiner Landweg auf dem Ackerland bei Odoorn.

Chemin rural près d'Odoorn.

Kleurrijk landschap bij Breklenkamp.

Colourful landscape near Breklenkamp.

Farbige Landschaft bei Breklenkamp.

Paysage plein de couleurs près de Breklenkamp.

Landelijke ochtendrust op landgoed Twickel bij Delden.

A peaceful morning on the estate Twickel near Delden.

Ländliche Morgenruhe auf dem Landgut Twickel bei Delden.

Calme champêtre du matin au domaine de Twickel près de Delden.

Bos- en weidelandgoed Twickel bij Delden.

Woodlands and pastures of the estate Twickel.

Wald- en Weidelandgut Twickel bei Delden.

Domaine forêstière de Twickel près de Delden.

Boerenland bij De Foeke,
St. Jansklooster.

Farmland near De Foeke,
St.-Jansklooster.

Bauernland bei De Foeke,
St. Jansklooster.

Paysage agricole
près De Foeke,
St. Jansklooster.

Ook in de winter zijn de Oostvaardersplassen een interessant natuurgebied.

Even in wintertime the nature reserve Oostvaardersplassen is well worth visiting.

Auch im Winter sind die Oostvaardersplassen ein interessantes Naturgebiet.

Même en hiver les Oostvaardersplassen (étangs) forment une réserve naturelle intéressante.

Uitbundige bloemenshow in het voorjaar in Flevoland.

Vibrant sea of flowers in spring in Flevoland.

Überschwängliches Blumenmeer im Frühjahr in Flevoland.

Un océan de fleurs jaunes à Flevoland au printemps.

Phacelia-veld met bijen-korven in Zuidelijk Flevoland.

Phacelia field with beehi-ves in Southern Flevoland

Phacelia-feld mit Bienenkörben in Süd-Flevoland.

Champ de Phacélia's aux ruches dans la partie sud de Flevoland.

De graanschuur van Flevoland.

The granary of Flevoland.

Die Kornkammer von Flevoland.

Le grenier de Flevoland.

Boomgaard bij Schoonrewoerd.

Orchard near Schoonrewoerd.

Obstgarten bei Schoonrewoerd.

Fruitier près de Schoonrewoerd.

Rozendaalseveld: heidegebied met berken en stuifzanden.

Rozendaalseveld: moors and areas with shifting sand.

Rozendaalseveld: Heidegebiet mit Birken und Flugsanden.

Le Rozendaalseveld: bruyères au bouleaux et aux dunes mouvantes.

Het grootste stuifzandgebied van Europa, het Kootwijkerzand, heeft een woestijnachtig klimaat.

Kootwijkerzand, the largest shifting sands of Europe, has a desert-like climate.

Das größte Flugsandgebiet Europas, das Kootwijkerzand, hat ein wüstenartiges Klima.

La plus grande région de dunes mouvantes de l'Europe, le Kootwijkerzand, connaît un climat désertique.

Weide en bosrand nabij
Ubbergen.

Grassland and edge of a
wood near Ubbergen.

Weide und Waldrand in
der Nähe von Ubbergen.

Pré et lisière du bois près
d'Ubbergen.

Dennen en gras op de
Hoge Veluwe.

Pines and grass in
National Park the Hoge
Veluwe.

Tannen und Gras im
Nationalpark Hoge Veluwe.

Des pins et de l'herbe
dans le Parc National de
Hoge Veluwe.

Landelijke rust op landgoed Hackfort, omgeving Vorden.

Peace and quiet on the rural estate Hackfort not far from Vorden.

Ländliche Ruhe auf dem Landgut Hackfort, Umgebung Vorden.

Calme champêtre dans le domaine de Hackfort, environs de Vorden.

Het eenzame Reemsterbos op de Hoge Veluwe.

The desolate Reemsterbos part of the Hoge Veluwe.

Der einsame Reemsterbos im Nationalpark Hoge Veluwe.

Le calme règne dans la Reemsterbos, une forêt au Hoge Veluwe.

Het natuurgebied Hulshorsterzand.

Nature reserve Hulshorsterzand.

Das Naturschutzgebiet Hulshorsterzand.

La réserve naturelle de Hulshorsterzand.

Een van de fraaiste heidegebieden: de Renderklippen bij Heerde.

One of the most beautiful moors: the Renderklippen near Heerde.

Eines der schönsten Heidegebiete: die Renderklippen bei Heerde.

Une des plus belles bruyères: les Renderklippen près de Heerde.

Ven van de Gietense Flessen op de Hoge Veluwe.

A pool in the Gietense Flessen in the Hoge Veluwe.

Ein Moorsee der Gietense Flessen im Nationalpark Hoge Veluwe.

Un étang des Gietense Flessen au Hoge Veluwe.

Herfst in het eenzame Deelerwoud.

Autumn in the desolate Deelerwoud.

Herbst im einsamen Deelerwoud.

L'automne à la forêt désolée de Deelerwoud.

Een Hollands wintergezicht: wilgen in de uiterwaarden bij Jaarsveld.

Wintry scene in Holland: willows in the river meadows near Jaarsveld.

Eine holländische Winterlandschaft: Weiden im Deichvorland bei Jaarsveld.

Image hivernale hollandaise: des saules dans les franc-bords près de Jaarsveld.

Grasvlakte van Breedeveld, Leersum, in ochtendmist.

The grassy plains of Breedeveld, Leersum, shrouded in the morning mist.

Grasfläche von Breedeveld, Leersum, im Morgennebel.

Champs de Breedeveld, Leersum, dans la brume du matin.

Voorjaarsweide bij Hooglanderveen.

Meadow in springtime near Hooglanderveen.

Frühjahrsweide bei Hooglanderveen.

Pré au printemps près de Hooglanderveen.

Konikpaard in het natuurgebied Blauwe Kamer bij Rhenen.

'Konik'-horse (small wild horse) in nature reserve Blauwe Kamer near Rhenen.

Konikpferd (wildes Pferdchen) im Naturschutzgebiet Blauwe Kamer bei Rhenen.

'Konikpaard', petit cheval sauvage, dans la réserve naturelle de la Blauwe Kamer près de Rhenen.

Herfstbos bij Maarn.

Autumnal wood near Maarn.

Herbstwald bei Maarn.

Forêt en automne près de Maarn.

Hollands poldergezicht bij Uitdam.

Dutch polders near Uitdam.

Holländische Polderlandschaft bei Uitdam.

Vue sur les polders hollandais près de Uitdam.

In de Amsterdamse Duinwaterleiding nabij Zandvoort.

The nature reserve of the Amsterdam Duinwaterleiding (Amsterdam Dune Waterworks) near Zandvoort.

In der Amsterdamer Dünenwasserleitung in der Nähe von Zandvoort.

Les Amsterdamse Waterleidingduinen près de Zandvoort: les dunes qui abritent les réservoirs d'eau qui alimentent Amsterdam.

Herfst in Duin- en Kruidberg in het Nationaal Park Zuid-Kennemerland.

Autumn in Duin en Kruidberg, part of the National Park Zuid-Kennemerland.

Herbst im Duin- en Kruidberg im Nationalpark Zuid-Kennemerland.

Automne dans le Duin- en Kruidberg dans le Parc National de Zuid-Kennemerland.

Winters landschap bij 't Weegje, omgeving Gouda.

Winterlandschaft bei 't Weegje, Umgebung Gouda.

Winterlandschaft bei 't Weegje, Umgebung Gouda.

Paysage hivernal près de 't Weegje dans les environs de Gouda.

Uitdam: uitzicht op dorp en rietkragen.

Uitdam: view of village and reed borders.

Uitdam: Aussicht auf Dorf und Schilfgürtel.

Uitdam: vue sur le village et ses bordures de roseaux.

Winterlandschap in de Nieuwkoopse Plassen.

Winterlandscape in the Nieuwkoopse Plassen (lakes).

Winterlandschaft in den Nieuwkoopse Plassen (Seen).

Paysage hivernal en les Nieuwkoopse Plassen (lacs).

Landschap gehuld in winterse mist bij 't Weegje, omgeving Gouda.

Misty winterlandscape in 't Weegje, near Gouda.

Neblige Winterlandschaft bei 't Weegje, Umgebung Gouda.

Paysage hivernal brumeux près de 't Weegje, dans les environs de Gouda.

Bloemperken op de
Keukenhof in Lisse.

Flowerbeds in the
Keukenhof in Lisse.

Blumenbeete auf dem
Keukenhof in Lisse.

Parterres de fleurs au
Keukenhof à Lisse.

Landweggetje langs de
rivier de Vlist.

Country lane along the
river Vlist.

Kleiner Landweg entlang
dem Fluss Vlist.

Chemin rural le long de la
rivière de la Vlist.

De bollenvelden bij Hillegom

Bulb-fields in bloom near Hillegom.

Die Felder mit blühenden Blumenzwiebeln bei Hillegom.

Les champs de fleurs près de Hillegom.

Veld met wilgenroosjes in de Reeuwijkse Hout.

Field with rosebays in the Reeuwijkse Hout.

Feld mit Weidenröschen in der Reeuwijkse Hout.

Champ d'épilobes dans le Reeuwijkse Hout.

Wilgen aan het riviertje de Vlist.

Willows along the river Vlist.

Weiden beim Fluss Vlist.

Saules le long de la rivière de la Vlist.

Berken bij de Lammersvennen in de Oisterwijkse bossen.

Birches near the Lammersvennen (pools) in the woods of Oisterwijk.

Birken bei den Lammersvennen (Moorseen) in den Oisterwijker Wäldern.

Bouleaux près de Lammersvennen, les étangs dans les forêts d'Oisterwijk.

Grasvlakte met ven in het uitgestrekte natuurgebied Kampina.

Grassy plains with pool in the vast nature reserve the Kampina.

Grasfläche mit Moorsee im ausgedehnten Naturschutzgebiet Kampina.

Plaine herbeuse avec étang dans la réserve naturelle étendue de Kampina.

Een kleine woestijn in Nederland: de Loonse en Drunense Duinen.

A little desert in the Netherlands: the Loonse and Drunense Duinen (dunes).

Eine kleine Wüste in Holland: die Loonse en Drunense Duinen (Dünengebiet).

Désert de taille réduite aux Pays-Bas: les Loonse en Drunense Duinen (dunes).

Rietkragen in de Biesbosch.

Reed borders in the Biesbosch.

Schilfgürtel im Biesbosch.

Bordures de roseaux au Biesbosch.

Oisterwijkse Vennen: ven in de late middagzon.

The pools of Oisterwijk: pool in the late afternoon sun.

Oisterwijker Moorseen: Moorsee in der späten Mittagssonne.

Les étangs d'Oisterwijk: étang dans le soleil de l'après-midi.

Bospad in de Oisterwijkse Bossen.

Forest lane in the Oisterwijkse Bossen (woodlands).

Waldpfad in den Oisterwijkse Bossen (Wäldern).

Chemin forêstiere dans les forêst d'Oisterwijk.

Oisterwijkse bossen.

Wilgen in het aantrekkelijke Geuldal.

Willows in the lovely Geul Valley.

Weiden im attraktiven Geultal.

Saules dans la vallée charmante de la Geul.

Het idyllische riviertje de Gulp.

The idyllic river Gulp.

Das idyllische Flüsschen Gulp.

La rivière idyllique de la Gulp.

Bloeiende fruitbomen in het Geuldal.

Blossoming fruit trees in the Geul Valley.

Blühende Obstbäume im Geultal.

Fruitiers en fleur dans la vallée de la Geul.

Vanuit het Bovenste Bos nabij Epen heeft men een magnifiek uitzicht op het Limburgse heuvelland.

From the Bovenste Bos (wood) there are magnificent views of the hills of Limburg.

Ab dem Bovenste Bos (Wald) in der Nähe von Epen hat man eine fantastische Aussicht auf das Limburger Hügelland.

Depuis la Bovenste Bos, une forêt près d'Epen, on profite d'une vue magnifique sur les collines de Limburg.

Water

RIJK AAN WATER, RIJK DOOR WATER

Kleine slootjes, brede rivieren, winderige watervlakten - water hoort bij Holland.
Nederland heeft een groot deel van zijn economische ontwikkeling te danken aan het water.
Eeuwenlang werden schepen uit alle windstreken in onze havens geladen en gelost.
Water brengt niet alleen voorspoed, maar ook rampspoed. Nederland heeft altijd al strijd moeten voeren tegen het woeste water. Als de zee onstuimig tekeergaat, zijn we blij beschermd te worden door eindeloze dijken. Rivieren kunnen buiten hun oevers treden; dan moeten we de juiste maatregelen nemen om de voeten droog te houden.
Vriendelijk is het water als het voortkabbelt in riviertjes die zich meanderend een weg banen door het groene landschap. In het water ontwikkelt zich een heel eigen, fascinerend planten- en dierenrijk. 's Zomers genieten watersporters en vissers op meren en rivieren, 's winters verzamelen zich talloze watervogels bij de wakken in het ijs. Eilanden zijn er. Groot en klein. Bestaande uit zand of soms alleen uit riet, rustige plekjes voor mens of dier. Riet en water, wind en wolken: Holland op z'n mooist.

Water

WATER IN ABUNDANCE

Small ditches, wide rivers, vast windy expanses of water - water inextricably bound up with Holland. The Netherlands owe a large part of their economic development to the water. For centuries ships from all parts of the world have loaded and unloaded their goods in Dutch harbours. Water however does not only bring prosperity it can also be the cause of major disasters. The Netherlands have always had to fight the unruly water. When the seas are rough, the Dutch know that they are safe and protected by miles and miles of dykes. Rivers may still overflow their banks. It is then that they have to take measures to keep their feet dry.
Pleasant are those rivers that meander through the green landscape. The water has its own fascinating world of plants and animals. In summer many people practising aquatic sports as well as fishermen can be seen on the lakes and rivers. In winter large groups of waterfowl collect near the holes in the ice. There are also islands in various sizes. Sometimes they are no more than a stretch of sand or reed beds, quiet spots for both man and animals. Reed, water, wind and clouds: Holland at its most beautiful.

Wasser

REICH AN WASSER, REICH DURCH WASSER

Kleine Gräben, breite Flüsse, windige Wasserflächen – Wasser gehört zu Holland. Die Niederlande dankt einen Großteil ihrer ökonomischen Entwicklung dem Wasser. Jahrhunderte lang wurden Güter von Schiffen aus allen Himmelrichtungen in unseren Häfen ein- und ausgeladen.
Wasser bringt nicht nur Glück, sondern auch Unglück. Die Niederlande hat immer schon den Kampf gegen das wilde Wasser führen müssen. Wenn die See stürmisch tobt, sind wir froh von endlosen Deichen beschützt zu werden. Flüsse können über die Ufer treten; dann müssen wir die entsprechenden Maßnahmen treffen, um trockene Füße zu behalten.
Freundlich ist das Wasser, wenn es in kleinen Flüssen so dahin plätschert, die sich mäandernd einen Weg durch die grüne Landschaft bahnen. Im Wasser entwickelt sich ein sehr eigenes, faszinierendes Pflanzen- und Tierreich. Im Sommer genießen Wassersportler und Angler auf Seen und Flüssen, im Winter sammeln sich unzählige Wasservögel bei den offenen Stellen im Eis. Es gibt Inseln. Groß und klein. Aus Sand oder manchmal nur aus Schilf, ruhige Orte für Mensch oder Tier. Schilf und Wasser, Wind und Wolken: Holland wie es am schönsten ist.

Eau

RICHE EN EAU, RICHE PAR L'EAU

Petits fossés, larges rivières, plans d'eau venteuses, l'eau est une partie indissociable de la Hollande. Les Pays-Bas doivent une grande partie de leur développement économique à l'eau. Pendant des siècles les navires provenant des quatre bouts du monde embarquaient et débarquaient dans nos ports.
À part la fortune l'eau nous a également apporté l'infortune. Les Pays-Bas ont dû lutter constamment contre les eaux impétueuses. Nous sommes heureux d'être protégés par les digues interminables contre la mer houleuse. Et quand les rivières sortent de leur lit il faut prendre les justes mesures afin de rester sec.
L'eau est paisible quand elle clapote dans les rivières qui serpentent dans le paysage vert. Dans l'eau se développe une flore et une faune particulière et fascinante. En été les amateurs des sports nautiques et les pêcheurs se régalent sur les lacs et les rivières, en hiver d'innombrables oiseaux aquatiques se rassemblent dans les parties d'eau libres de glace. On y trouve aussi des îles, des grandes et des petites. Parfois elles se composent de sable, parfois seulement de joncs, ce sont des coins paisibles pour l'homme comme pour les animaux. Roseaux et eau, vent et nuages, c'est la Hollande au plus beau.

Het stroomdal van de Drentse Aa bij Schipborg.

The valley of the river Drentse Aa near Schipborg.

Das Stromtal der Drenther Aa bei Schipborg.

Le cours d'eau du Drentse Aa près de Schipborg.

Rieteiland in de Beulakerwijde.

Island consisting of reed-beds in the Beulakerwijde (lake).

Schilfinsel in der Beulakerwijde (See).

Îlot de roseaux dans le Beulakerwijde (lac).

Punters in de grachten van Giethoorn zijn het enige vervoermiddel in dit unieke dorp.

'Punters' in the canals. 'Punting' is the only form of public transport in this unique village.

Kahne in den Grachten von Giethoorn sind das einzige Beförderungsmittel in diesem einzigartigen Dorf.

Barges dans les canaux de Giethoorn: le seul moyen de transport dans ce village unique.

Het dorpje Dwarsgracht, oase van rust.

The village of Dwarsgracht, a haven of peace.

Das kleine Dorf Dwarsgracht, eine Oase der Ruhe.

Le petit village de Dwarsgracht, un oasis de paix.

Een wiel in de uiterwaarden van de Waal bij Slijk-Ewijk.

A pool in the foreland of the river Waal near Slijk-Ewijk.

Ein Rad im Deichvorland der Waal bei Slijk-Ewijk.

Un étang dans les francbords de la Waal près de Slijk-Ewijk.

In het winterseizoen treedt de Waal regelmatig buiten zijn oevers; hier bij Opijnen.

In winter the Waal regularly overflows its banks as is seen here near Opijnen.

In der Wintersaison tritt die Waal regelmäßig über die Ufer; hier bei Opijnen.

En hiver la Waal sort souvent de son lit d'eau; ici près d'Opijnen.

Winters gezicht op de Lek bij Lopikerkapel.

Wintry scene; the river Lek near Lopikerkapel.

Winterlandschaft auf der Lek bei Lopikerkapel.

Vue hivernale sur la Lek près de Lopikerkapel.

De uiterwaarden van de Lek bij Jaarsveld trekken in de winter veel vogels.

The water meadows of the river Lek attract lots of birds in winter.

Das Deichvorland der Lek bei Jaarsveld zieht im Winter viele Vögel an.

En hiver les franc-bords de la Lek près de Jaarsveld attirent de nombreux oiseaux.

Woerdense Verlaat: meer en riet vormen een oase van rust in het groene hart van Holland.

Woerdense Verlaat: lakes and reed form a haven of peace in the green heart of Holland.

Woerdense Verlaat: See und Schilf bilden eine Oase der Ruhe im grünen Herzen Hollands.

Woerdense Verlaat: lac et roseaux forment un oasis de paix dans le 'coeur vert' de la Hollande.

Onwezenlijk beeld in Nederland: het Henschoter Meer in Den Treek-Henschoten.

A curious sight in the Netherlands: the Henschoter Meer in Den Treek-Henschoten.

Unwirkliches Bild in der Niederlande: der Henschoter See in Den Treek-Henschoten.

Image irréelle aux Pays-Bas: le Henschoter Meer, le lac à Den Treek-Henschoten.

Blik op de Gouwzee vanaf Marken.

View of the Gouwzee (sea)from Marken.

Blick auf das Gouwmeer ab Marken.

Vue sur le Gouwzee depuis Marken.

Het riviertje de Gein bij Abcoude.

The river Gein near Abcoude.

Das Flüsschen Gein bei Abcoude.

La petite rivière de la Gein près d'Abcoude.

De Ankeveense Plassen ten westen van Ankeveen herbergen een groot aantal wilde planten.

The Ankeveense Plassen (lakes) west of Ankeveen home to a large number of wild flowers.

Die Ankeveener Plassen westlich von Ankeveen beherbergen eine große Zahl wilder Pflanzen.

Les Ankeveense Plassen (lacs) à l'ouest d'Ankeveen abritent un grand nombre de plantes sauvages.

Het bevroren haventje van Marken.

The frozen harbour of Marken.

Der befrorene Hafen von Marken.

Le port gelé de Marken.

Het haventje van Muiden, op de achtergrond het Muiderslot.

The harbour of Muiden with the Muiderslot (castle) in the background.

Der kleine Hafen von Muiden, im Hintergrund das Muiderslot.

Le petit port de Muiden, à l'arrière-plan le Muiderslot (château).

Het haventje van Marken.

The little harbour of Marken.

Der kleine Hafen von Marken.

Le petit port de Marken.

De Amstel met de Magere Brug.

The Amstel with the Magere Brug (Meagre Bridge).

Die Amstel mit der Magere Brug (Magere Brücke).

L'Amstel avec le Magere Brug (le Pont Maigre).

Het riviertje de Meije meandert door het landschap van het groene hart van Holland.

The river Meije meandering through the green heart of Holland.

Das Flüsschen Meije mäandert durch die Landschaft des grünen Herzens Hollands.

La rivière de la Meije serpente à travers le paysage du 'coeur vert' de la Hollande.

Het haventje van Maassluis.

The little harbour of Maassluis.

Der kleine Hafen von Maassluis.

Le petit port de Maassluis.

De Leuvehaven in het centrum van Rotterdam.

The Leuvehaven (harbour) in the centre of Rotterdam.

Der Leuvehaven im Zentrum von Rotterdam.

Le Leuvehaven (port) au centre de Rotterdam.

De Zeelandbrug: hoofdverbinding tussen de Randstad en Zeeland.

The Zeelandbrug (bridge): the main link between the Randstad (western part of the country) and Zeeland.

Die Zeelandbrug (Brücke): Haupt-verbindung zwischen der Randstad (westliches Teil des Landes) und Zeeland.

Le Zeelandbrug: le pont qui relie le Randstad (la région urbanisée à l'ouest des Pays-Bas) à Zeeland.

148
73
150
148
48
LEEUWARDEN
116
92
34
130
82
136
45
3
76
132

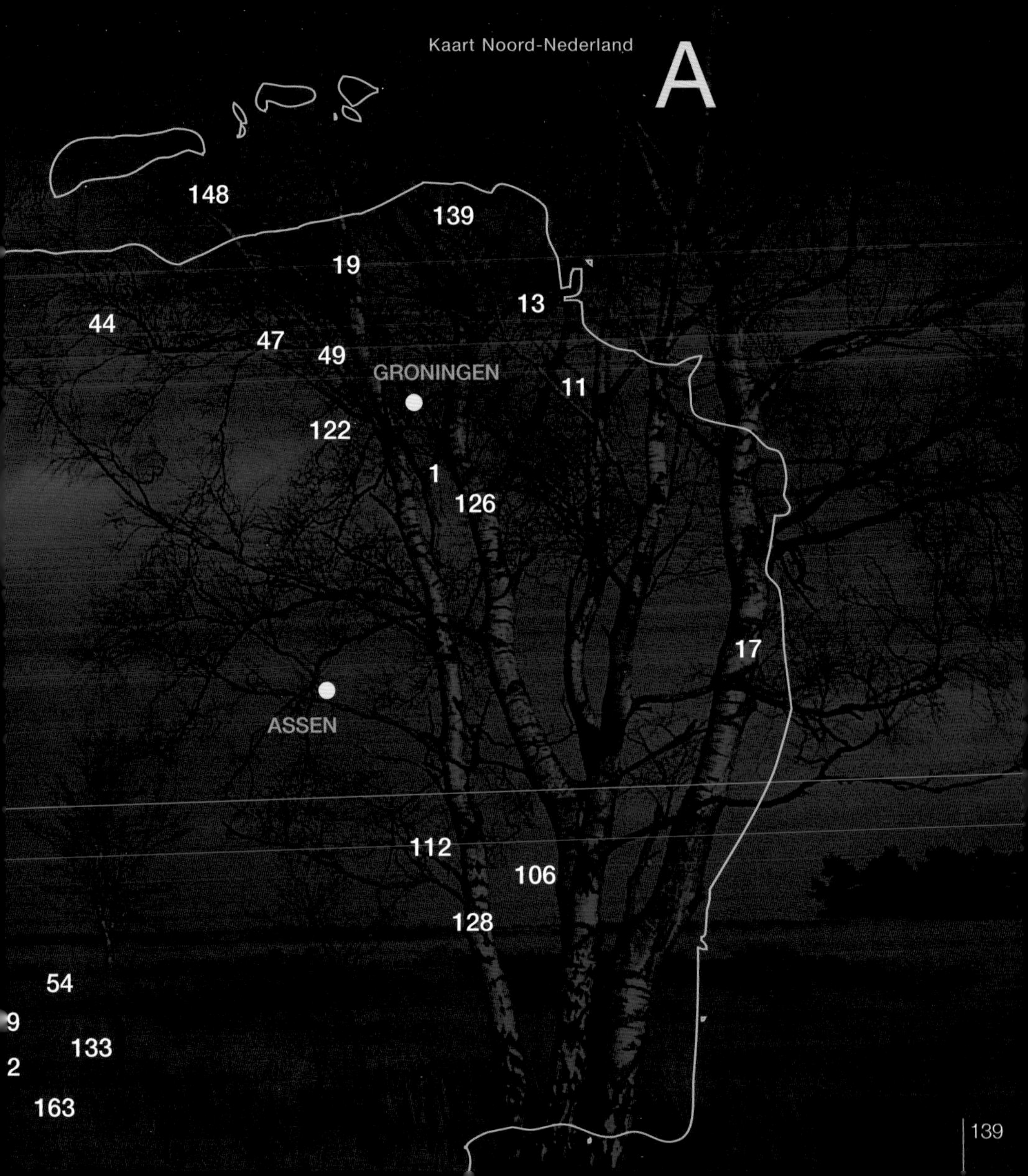
Kaart Noord-Nederland
A
148
139
19
13
44
47
49
GRONINGEN
11
122
1
126
17
ASSEN
112
106
128
54
9
133
2
163

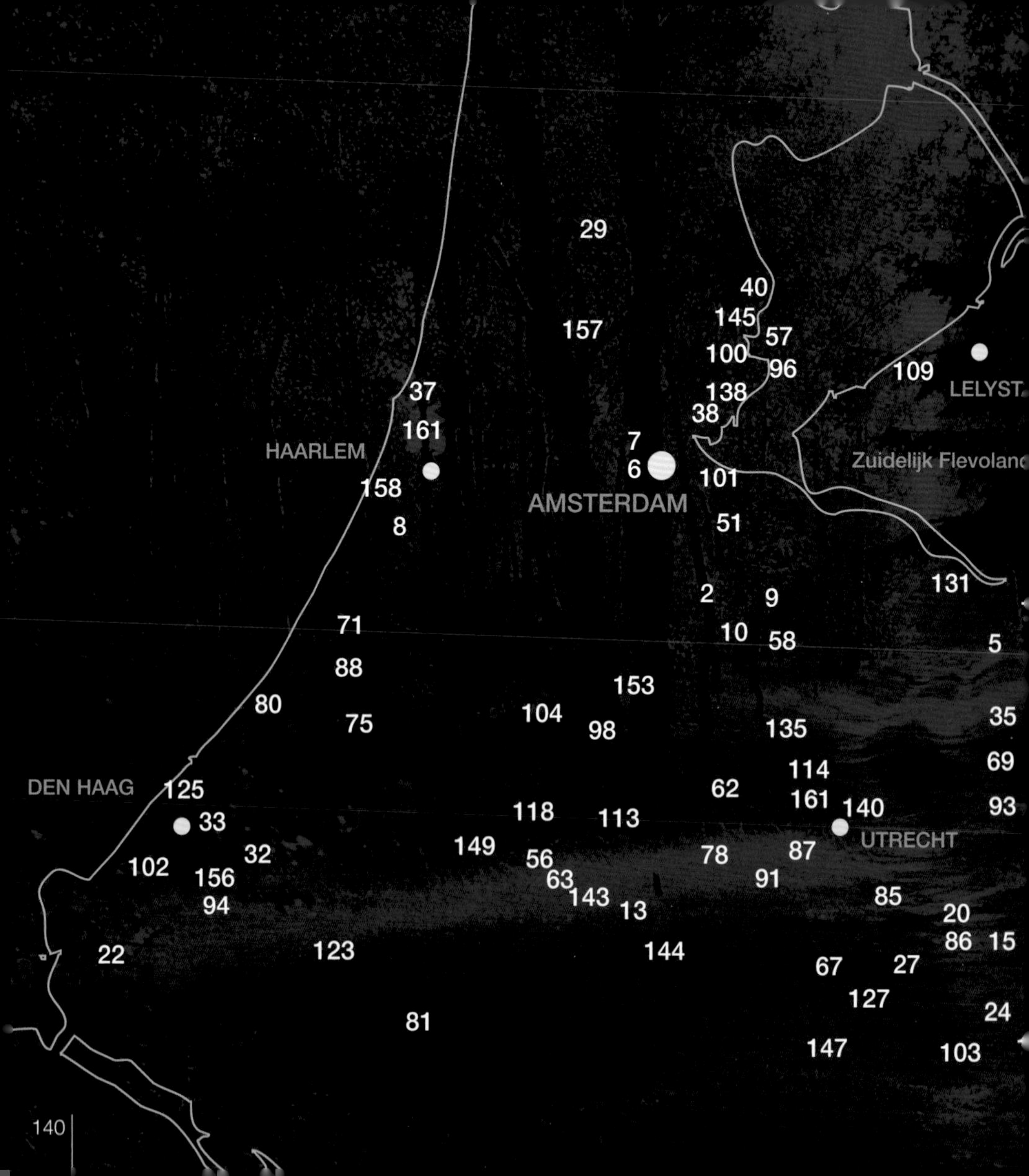
29
40
145
57
157
100
96
109
LELYST.
37
138
38
161
7
HAARLEM
6
Zuidelijk Flevoland
101
158
AMSTERDAM
8
51
131
2
9
71
10
58
5
88
153
80
104
75
98
135
35
69
114
DEN HAAG
125
62
161
140
118
113
93
33
UTRECHT
149
32
78
87
102
56
156
63
91
143
85
94
13
20
86
15
22
123
144
67
27
127
24
81
147
103

164
ZWOLLE
65
119
66
21
110
36
77
31
64
4
26
89
61
83
162
146
72
53
30
23
117
124
152
ARNHEM
154
129
147
105
137

55
120
25
160
159
142
99
MIDDELBURG
14
50

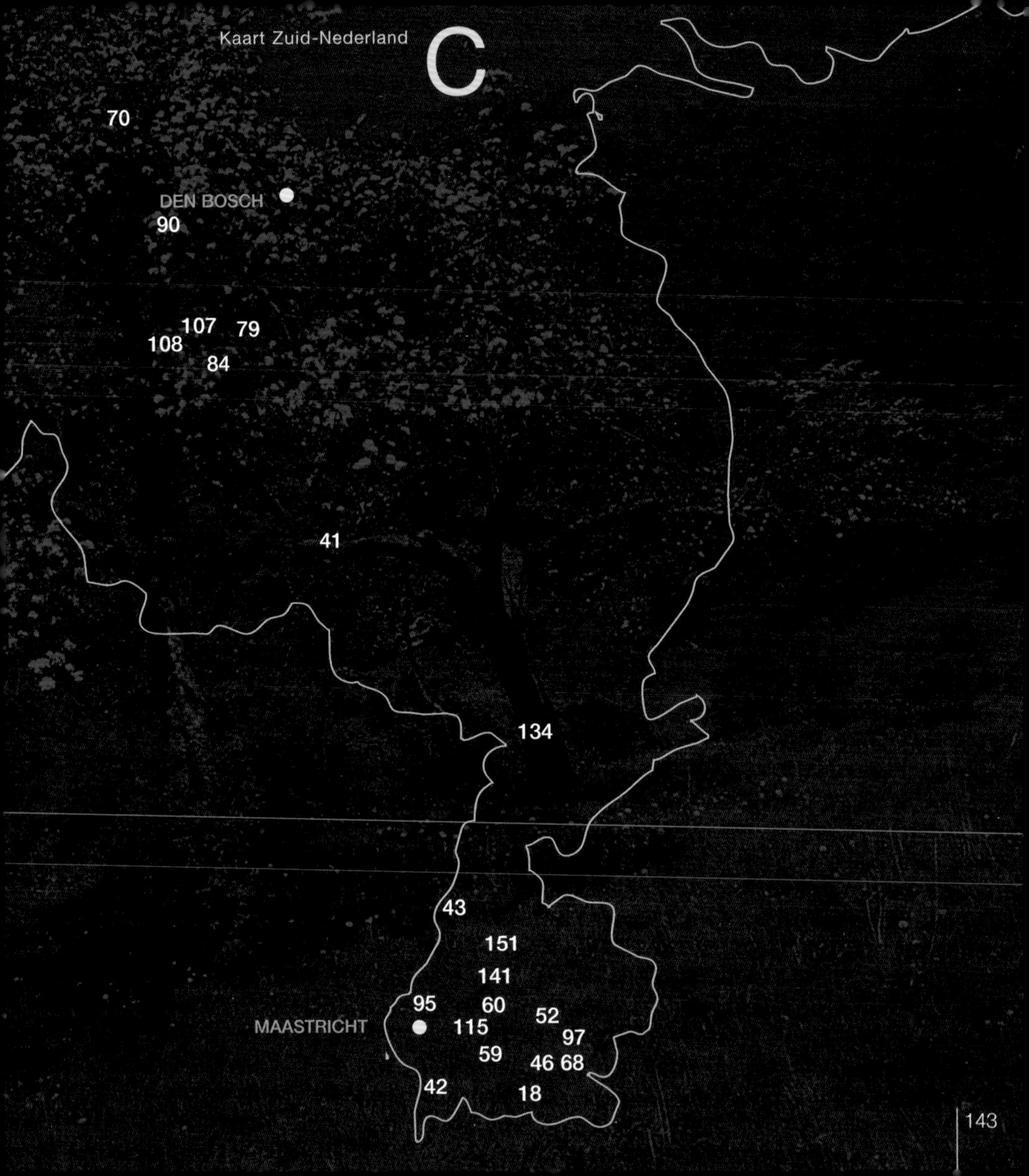
Kaart Zuid-Nederland
C
70
DEN BOSCH
90
107
79
108
84
41
134
43
151
141
95
60
52
MAASTRICHT
115
97
59
46
68
42
18

TOPOGRAFISCH REGISTER

Lijst van plaatsnamen en overige geografische namen (cursief) die worden genoemd in de bijschriften. De letters verwijzen naar een van de drie regiokaarten, de cijfers vindt u op de regiokaarten.

TOPOGRAPHIC INDEX

List of cities and villages and other geographic names (italic), mentioned in the captions. The letters refer to one of the three regional maps, the numbers are to be found on these maps.

TOPOGRAPHISCHES REGISTER

Verzeichnis der Städte und Dörfer und anderen geographischen Namen (kursiv), erwähnt in den Unterschriften. Die Buchstaben verweisen auf die Regionalkarten, die Nummern findet man auf der Karten.

INDEX TOPOGRAPHIQUE

Liste des villes et des villages et des autres noms géographiques (en italique), cités dans les légendes. Les lettres se réfèrent aux cartes régionales, les numéros se trouvent dans cettes cartes.